KB196689

일러두기

이 책의 내용은 쿠키플레이협회 상담사님들의 교육현장 사례를 모아 작성하였습니다.
대상자 이름은 모두 가명이며 경우에 따라서 *, ** 기호를 혼용하였습니다.

Cookie Play

쿠키플레이로
사랑을 만든 이야기들

쿠키테라피 사례집

저자의 글

과자일뿐!!!
요리일뿐!!!
그렇게 저렇게 이야기를 들으며 시작된 쿠키플레이는
참 많은 대상들을 만나고
참 많은 이야기를 남겼다.

이 낯선 길을 가면서
이 작은 도구로 회복되고 변화되는
참여자들을 만나게 되었다.

이 쿠키테라피는
냄새를 맡아보는 사소한 것
만져보는 사소한 것
만들어서 먹어보는 사소한 것
사소한 것들의 이야기다.

그 사소한 것들이
사랑 안에서 이루어지고
오감이 만족이 되는 이 작은 사소한 것이
세상에 상처 입은 사람에게
위로가 되는 것을

이야기 하고 싶다.
쿠키테라피는 너무 거대한 담론을 담은 상담이 아니라
사소한 것을 담은 적정심리학의 모퉁이의
소박한 상담이고 그런 상담의 자리로 남고 싶다.

수많은 이론과 화려한 이론이 아니라...
지식이 아닌
그저 사소한 것들을 나누며 사소한 것들을 들으며
사소한 만족을 주목하며....
앞으로도 그 길을 뚜벅뚜벅 걷는
동행의 이야기들로 채워 나가고 싶다.

이 책은 그렇게 만난 이야기들이고 발걸음이다.

혼자 걷던 이 길에
이 발걸음을 함께 해준....
여러 장소의 여러 선생님의 사례들에 감사드린다.
또한 이 길은 하나님이 부족한 나와 함께 해준 여정임을
이 글을 통해서 꼭 남기고 싶다.

안미진 ——

Contents

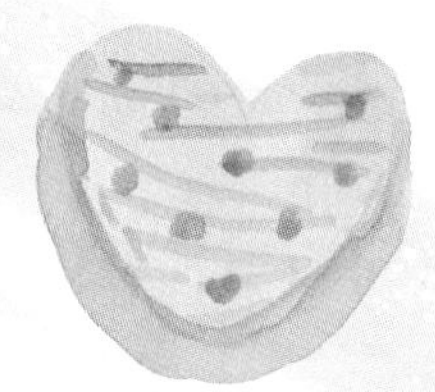

쿠키플레이&
테라피
cookieplay & cookietherapy

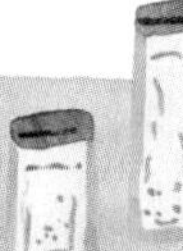

Cookie Play

쿠키플레이 &

쿠키테라피란?

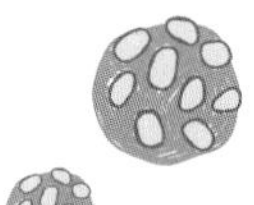

쿠키플레이 태동

초등학교에서 시작된 놀이

2011년과 2012년에 필자가 근무하던 경기도 광명시의 A초등학교는 농림수산부에서 주관하는 <쌀 중심 식습관 교육 시범학교>로 지정을 받았다. 이후 1년만 해도 힘들다는 <쌀 중심 식습관 교육 시범학교>를 2년 동안 운영하였다. 2년 동안 매일 야근을 하는 상황이었기에 힘든 부분도 있었지만, 힘든 만큼 보람도 있었고 새로운 도전도 할 수 있었다. 건강을 위한 교육과 상담 프로그램, 요리를 통한 다양한 교육적 접목을 할 수 있는 다양한 프로그램 중 하나로 방과 후 요리 교실이 있었다. 그 시기 '요리'는 단순히 먹고 맛을 내기 위해서만 준비되는 것이 아니라, 요리라는 활동을 통해서도 교육적인 효과가 있다는 것이 조금씩 알려져 있었다. 하지만 지금도 연구나 시도가 부족한 편이지만, 그때는 더욱 부족한 상황이었다.

2011년도에 시행한 요리 교실에서 단순히 흥미를 위해서 혹은 요리를 만들어 먹기 위한 요리 교실로만 그치지 않고 참가 학생들의 인성에 어떠한 도움을 주는지를 알아보고 싶었다. 그래서 <인성을 기르는 감성 요리 교실>이라고 이름을 정했다. 요리 교실은 각 학급 담임이 학급에서 인성이 필요하다고 생각하는 학생을 추천하거나 일부는 본인이 하고 싶은 자발적 학생으로 구성이 되었으며 주로 초등학교 4학년과 5학년이었다. 그중 4학년은 수업에 지장을 줄 정도로 집중력이 부족한 학생, 각 반에서 최고의 개구쟁이라고 인정하는 남학생 세 명이 추천으로 들어왔다. 한 반에 한 명의 존재만으로도 반 수업이 어렵다는 각 반의 대표가 요리부에 모인 것이다.

초기 몇 주는 진행이 불가할 정도로 상상하기 힘든 일들이 벌어졌다. 조를 구성하는데 그 세 명과 아무도 같은 조가 되기를 원하지 않았다. 그래서 조를 구성하는 것부터 난항에 부딪혔고, 결국은 세 명을 한 조로 구성할 수밖에 없었다. 그 세 명은 물 만난 물고기처럼 자신과의 동질성 때문인지 신나게 놀 때는 잘 어울리다가 어느 순간 싸움을 일삼았다. 의견을 모을 때는 의논하다가도 싸우고, 만들 때는 서로 좋은 재료를 갖겠다고 싸우고, 먹을 때는 더 많이 먹겠다고 싸웠다. 그런 것은 기본이고 수업 시간에 돌아다니기, 요리부에서 사용하는 가열기구 이용해서 불놀이 시도하기, 음식을 썰기 위해 준비된 칼로 칼싸움 하기 등등. 상상을 초월하는 일들이 벌어졌다. 중간에 '그 학생들을 빼야하나?'라는 고민을 잠시나마 했었다. 그러나 <인성을 기르는 감성 요리부>라는 명칭 때문에 그런 학생이야말로 바로 이 요리 교실의 주인공이라고 생각했다.

수업 때마다 '벌칙 정하기', '상주기', '만든 요리 더 주기' 등 많은 시도를 했다. 또한, 수업을 진행하기 전에 인성과 연결되는 수업을 하기 위해서 매일 프로그램을 개발하고 수업 자료를 만들었다. 먹기 위한 요리 수업이 아니라, 만들면서 즐거워지고 자신감이 생기는 요리 재료로 미술적 표현을 하는 관점으로 진행을 하였다. 요리가 목적일 때 참여 학생들은 목적을 잘 이루기 위해 노력을 하다가도 그 과정에 싫증을 내기도하고, 그날의 요리를 실패라도 한 후에는 그날의 함께한 시간 전체를 허비한 듯 "오늘은 망쳤다.", "오늘은 쫑이야!" 라고 이야기하기 일쑤였다. 그래서 '요리를 놀이로 느끼게 하면 어떨까?'라는 관점으로 진행을 해보았으며 그 요리로 하는 놀이가 될 수 있도록 다양한 시도를 했다. 시행하고 반성하고 다시 시행하기를 계속하면서 매주 한 번씩 진행하는 수업을 위해 깊이 몰입하기 시작했다.

그 몰입은 끊임없이 진행되었다. 지금 돌이켜 보니 나도 모르게 참여적 실행 연구 과정을 시도하고 있었다. 요리 재료를 모아서 음식을 만드는 것이 아니라 요리 재료로 일정한 것들을 표현하게 하는 수업의 형태로 바뀌어 갔다. 요리가 놀이가 되니까 우선 순위가 바뀌기 시작했다. 요리 재료로 빨리 만들어 먹기가 아닌, '재미있게 놀아야지'로 태도가 변화되기 시작했다. 빨리 만들어 먹기에 급급한 아이들에게 먹기 위한 요리가 아닌 요리를 통해서 작품을 만들고, 감정을 표현하고, 인내를 배우고, 배려를 배울 수 있는 프로그램을 개발하기 시작하였다.

요리시간을 요리 놀이 시간으로 바꾸는 과정은 기존에 참고할 것도 많지 않았고 대부분 만들어내야 하는 수업 내용이 많아서 시간이나 노력이 많이 들어갔다. 또한, 많은 시행착오가 있었고 좌절도 있었다. 그러나 포기하지 않았던 것은 참여 학생들의 변화였다. 자리에 앉기 싫어하는 학생이 착석하고, 떠들던 학생이 집중하고, 교사의 말을 경청하고, 정해진 과정을 완성하지 못하던 학생이 완성하고, 수업 끝날 때 사라지던 학생들이 뒷정리를 함께하는 등의 긍정적인 변화가 일어났다.

인성요리부 학생의 음식만들기
[깍두기만들기]

인성요리부 학생들이 만든 요리 놀이
[라이스 플라워 작품]

초기의 힘든 수업들은 점차 자리를 잡았고 수업의 구조화가 잘 이루어져서 학생들이 스스로 분위기를 만들었다. 인성을 기르기 위한 수업을 하면서 음악을 사용한 것은 긍정적인 변화를 가져왔다. 계획-반성-실행 과정을 통해서 집중도를 높이기 위한 다양한 시도를 했는데 그중 하나가 음악을 사용하는 것이었다.

일반적으로 요리를 위한 조리 과정을 배우는 경우에는 다양한 소음이 발생한다. 그래서 조리 과정을 교육할 때는 약간의 들뜬 분위기가 당연시 되었다. 이런 분위기에 넘버 쓰리(세 명의 문제성이 있는 4학년 학생을 부르던 별칭)들은 교사의 설명이 끝나고 스스로가 만들어야 하는 시간이 되면 들뜬 마음으로 돌아다니고, 자기끼리 떠들고, 장난치는 것이 당연하게 표현되었다. 마음을 차분히 하고 집중하기 위해서 음악을 사용하기로 정하고 몇 곡을 반복하기도 하고, 한 곡만 반복하기도 하며 여러 곡을 시도했다. 우선 다양한 곡을 사용하면 집중이 분산된다는 것을 알았다. 다음 곡을 미리 예측하고 부른다거나, 다음 곡을 예측하며 '다음 곡은 내가 좋아하는 곡', '그 다음 곡은 듣기 싫은 곡' 등의 이야기가 오고 가고, 종종 본인이 좋아하는 곡을 가져오겠다는 등의 문제가 생겼다.

결국, 한 곡의 반복이 집중력을 높이는 것을 알게 되었다. 그 한 곡은 자꾸 반복되어도 쉽게 익숙해지거나 지루하지 않을 곡이어야 하고, 가사가 없는 것이어야 했다. 여러 번의 시도로 스트레스 해소에 도움이 된다는 자연의 소리가 삽입된 차분한 피아노곡을 사용했다. 소위 말하는 태교 음악에 가까운 곡이었다. 하나의 곡만 정해서 반복해서 듣다 보니 지루하다는 의견은 있었지만, 집중이

깨지는 일은 없었다. 여기서 음악을 사용할 때 중요한 점은 음악이 결코 그 수업 시간에 주인공이 되어서는 안 되는 것이다. 그냥 귀로 흘러 지나가야 하고 소리도 너무 크지 않아야 한다. 배경 음악처럼 있어도 없어도 크게 차이가 느껴지지 않을 정도로만 사용한다. 그러나 여기서 음악은 약속의 역할을 한다. 수업을 시작할 때 음악에 대해서 설명을 하고 음악을 사용하게 되면 집중을 해야 한다는 점에 대해 약속을 한다. 그리고 오늘 수업에서 해야 할 것을 설명하고 수업이 진행된다. 수업이 진행되는 중간에 만들기 시간이 되면 음악을 사용한다. 일종의 수업의 구조화라고 볼 수도 있다. 이런 약속한 음악의 역할이 수업 중에 생기는 초기의 소란함을 잡아 아이들을 집중의 세계로 인도하게 된다. 음악을 틀 때 이제 만들기를 시작해도 좋다는 약속의 의미와 이 음악을 틀어줄 때 '이 음악보다 크게 소리를 내서 떠들지 않기로 한다'는 의미를 갖도록 구조화한 것이다. 그렇게 구조화가 되면서 이전에 소란스러울 때 "조용히 해!"라고 외치던 나는 "음악~" 이라는 한 단어를 사용하게 되었다. 즉 '음악보다는 소리가 크면 안 된다!'는 의미를 담고 있었다. 소리를 지르는 것보다 적용이 잘 되었다.

그러던 어느 날, '넘버 쓰리' 중 한 명인 태형이가 "선생님 음악이 너무 지루해요. 요즘 걸그룹 음악 좋은 것 많은데요. 좀 바꿔 주세요."라며 불만을 토로하였다. 물론 그 불만은 받아들여지지 않았고 그런 불만은 태형이가 수업을 할 때면 사용하는 노래가 되었다. 그러던 어느 날 내가 잊어버리고 음악을 틀어주지 않고 수업을 진행한 일이 있었다. 그때 태형이가 "선생님 음악 왜 안 켰어요?"라고 질문을 하였다. 그래서 "태형이는 이 음악을 좋아하지 않잖아?"라고 대답을 했다. 그런데 태형이가 예상과는 다른 대답을 했다. "선생님 이상해요. 이제 그 음악을 틀어야 뭔가를 만들 수 있어요. 마음도 안정이 되고요. 집중이

돼요."라고 이야기를 했다.

교육학 행동주의 이론에서 자극과 반응의 관계를 연구하는 행동주의의 대표적인 이론인 파블로의 고전적 조건형성이 이 수업에도 적용이 된 것인가? 2011년에 <감성 요리교실>을 진행하면서 분명히 참가 대상 학생들에게 긍정적인 변화가 일어난 것을 알 수 있었다. 참가하는 학생들은 먹기 위해서 대단한 흥미와 집중력을 갖는다. 본인이 만든 것을 먹을 수 있고, 자신이 만든 것을 다른 상대, 즉 타자에게 줄 수 있다는 것이 여타의 다른 프로그램의 참여보다는 높은 참여율과 프로그램 완성도를 갖게 한다. 그러나 어려웠던 점은 요리 수업에 매번 다른 재료를 준비해야 하는 것은 부담이었다. 열이 필요할 때는 가스레인지나 전자레인지 같은 기구가 있어야 하고, 채소를 사용할 때는 씻어야 할 싱크대가 있어야 하고, 썰고 다듬을 다양한 칼이나 채반, 쟁반 등등이 준비되어야 한다. 이런 기구를 매회 다르게 준비하고 갖추는 일 또한 만만치 않은 일이었다. '요리'라는 것을 교육에 도입하는 일은 이렇게 준비하는 과정부터 쉽지만은 않았다. 뿐만 아니라 수업이 끝나고 치우는 일은 더욱더 어려움을 가중했다. 불과 칼을 직접 다루어야 하는 상황에서 안전성 확보와 다양성은 있지만, 연계성이나 깊이를 가지게 할 만한 연계점이 부족했다.

다시 시작하는 쿠키 놀이

2011년 인성을 키우는 <감성 요리교실>은 좋은 성과는 있지만, 준비하고 마무리하는 과정과 안전성 확보의 어려움, 깊이 있는 연계 과정 등이 과제로 남았다.
이러한 고민을 하고 다양한 방법을 고심하던 끝에 여러 가지 색깔의 쿠키 재료를 알게 되었고 이것으로 펼칠 수 있는 것이 다양할 수 있다는 판단이 들었다. 2011년에 진행하면서 생겨났던 문제점이 보완될 수 있었다.

요리로 하는 프로그램을 학생들이 좋아하는 이유는 먹을 수 있기 때문이다. 먹는 것을 기대하고 좋아하는 선호도는 장소와 연령에 상관없이 동일한 것 같다. 집중력이 부족한 학생, 수업 시간에 착석이 어려운 학생, 주어진 과제의 완성도가 떨어지는 학생도 예외는 아니다. 정해진 수업 시간에 주어진 수업 과제를 완성해야 먹을 수 있다는 것을 아는 참여자들은 집중도가 좋아서 빨리 완수를 해서 먹을 수 있는 친구들과 자기도 함께 먹어야 한다는 것을 목표로 수업에 임한다. 그런 과정에서 긍정적인 변화가 일어나곤 했다. 이런 먹는 것이 주는 장점을 살리고 요리를 하는 과정에서 소비되는 다양한 준비와 기타의 문제를 최소한 할 수 있는 방안으로 <쿠키놀이>를 선택했다. 2011년 <인성을 기르는 감성 요리교실>은 <인성을 기르는 감성 쿠키교실>로 이름을 바꾸고 프로그램을 만들어 진행했다. 요리 교실의 장점을 살리고 단점을 보완한 방안이었다.

2011년도 요리교실은 좋은 성과를 거두었다. 그러나 이 요리 교실을 지속해서 진행하려면 다양한 면에서 보완이 필요하였다. 그 보완으로 색깔 쿠키 재료를 이용하는 <쿠키 놀이>라는 대안을 찾아낼 수가 있었다. 이 재료를 사용할 경우 요리 교실의 단점들이 보완되었다.

❶ 재료 준비의 효율성

다양한 재료와 요리 기구가 필요한 요리 교실을 운영하기 위해 수업 때마다 구매 계획을 세우고 구매하는 번거로움을 색깔 쿠키라는 재료로 단일화하다.

❷ 안전성 문제

요리할 때 필수적으로 필요한 칼과 불 등의 사용을 <쿠키교실>에서는 필요하지 않으므로 안전성을 확보할 수 있다.

❸ 깊이 있는 연계성 부족

요리 교실은 다양한 재료로 다양한 경험을 하는 것이 목적이 될 수 있다. 즉 다양한 경험을 다양한 감각으로 만들어 가는 것이 요리 교실의 장점이다. 상대적으로 다양할 수는 있지만, 이 다양성은 깊이 있는 연계성에는 부족함이 있다.

❹ 표현의 한계성

음식으로 수업 또는 상담을 하기 위한 재료를 준비한다는 것은 어려운 일이다. 다양성이 장점이기도 하지만, 파슬리, 무, 토마토 등등이 각각의 준비도 어렵기도 하지만 그것으로 다양한 생각을 표현하는데는 요리 재료의 각각의 독특성과 한계가 있다. 예를 들면 생각을 표현하는 것 중 형태를 만드는 과정에서는 수월성도 중요하다. 예를 들어 어떠한 재료를 가지고 세모나 네모를 만들 때 칼이나 가위를 사용하지 않고는 형태를 만들기 어려운 재료들이 많다. 또한, 요리 재료에서는 색깔을 사용하는 것은 어려운 경우가 많다. 빨간색을 사용하려면 빨간색에 해당하는 재료인 빨간 무나 빨간 양파를 찾아서 준비해야 하므로 쉽지 않다.

요리교실 운영의 실행 과정

인성을 기르는 것에 초점을 두고 감성 요리교실 구성	먹는 것을 재료로 하여 다양한 미술적 표현을 하는 쿠킹플레이와 푸드아트테라피적 접근을 함
▼	▼
각 반에서 담임 교사가 인성이 필요한 학생으로 추천한 학생과 자발적 참여자 대상으로 반을 구성함	⇨ 실행 반성: 만들어 먹는 개념을 탈피, 본인의 생각이나 표현을 담는 것을 어색하게 생각함
▼	▼
먹는 것 위주의 요리를 만드는 것으로 수업이 구성 운영됨	⇨ 반성 후 개입: 본인의 생각이나 표현을 스케치할 수 있는 활동지와 음악 사용
▼	▼
실행 반성: 수업 과정에 먹기만을 위한 것에 몰입 과정은 시끄럽고 소란함	활동지와 음악 사용은 좋은 효과를 보임

쿠키놀이, 교실 밖으로

인성에 초점을 맞추어 시작된 감성 요리 교실은 <요리교실>의 단점을 보완하여 구성한 2012년 <쿠키교실> 운영으로 더 좋은 효과가 나타났다. 그리고 이 효과는 '학교 밖으로' 영향력을 갖기 시작했다. 여기서 밖은 두 가지 의미이다. 첫째 활용할 수 있는 영역에서의 의미, 둘째는 공간적 개념이다. 방과 후 쿠키교실에서 시작했던 <쿠키플레이>는 활용할 수 있는 영역적 부분으로, 우선 학교 내에서 식생활 수업에 도구로 사용되기도 하고 영양 상담에 사용되기도 하였다. 특히 영양상담 영역은 연구자가 오랫동안 다양한 시도를 했던 분야로, 여기에 쿠키놀이를 접목했을 때 그간의 여러 가지 시도가 무색할 정도로 높은 효과를 보였다.

공간의 개념으로 이 '쿠키놀이'는 A초등학교를 넘어서 다양한 공간에서 쿠키수업으로 진행되었다. 2013년에 농림수산부 주최 식습관 지정학교 우수 사례로 선정되면서 전국 교육청 단위로 알릴 기회를 다양하게 갖게 되었고, 요리 교육을 하면서 단점을 공감하던 교사들이 새로운 대안으로 <쿠키교육>을 배워서 학교에서 적용하기 시작했다. 또한 <쿠키플레이 연구회>를 조직하여 학교뿐 아니라 여러 복지관 등에도 이 프로그램을 진행하였다. 그중 가장 의미 있는 곳은 쿠키 플레이 연구 회원들이 함께 한 <A복지관> 집단 상담 프로그램이었다. 13명의 학생에게 여러 명의 교사가 투입되어 한 명의 교사가 3-4명의 학생을 맡아 진행을 했다. 이 프로그램에 참여한 교사는 7명이었다. 프로그램을 진행할 때 교사가 격주로 참여를 하게 되어서 한 주에 평균 3-4명의 교사가 재능기부의 마음으로 동참하였다. 이 <쿠키플레이> 프로그램은 거의 1년간 진행을 했는데 26회의 쿠키 집단 상담 프로그램, 2회의 부모교육, 10회 이상의 아동 사례 회의로 구성되었다.

참여 아동은 저소득층 그룹에 속한 학생이 주로 많았으며 정서 행동 검사에서 문제성이 발견되는 학생으로서 어려서부터 치료를 받아오던 학생들도 있었다. 주로 A복지관 근처에 거주하는 참가자여서 A복지관에서 유아 시기부터 어린이 프로그램부터 함께한 아동이 대부분이었다. 그래서 오랫동안 이들을 담당하던 복지사는 학생 개인을 잘 알고 있었으며, 특히 정서적 문제가 있는 학생들을 잘 인지하고 그에 대한 대안적 프로그램을 많이 개설했었다. 그중 정서적 문제가 지속적으로 노출된 13명의 학생들은 미술치료부터 원예치료까지 여러 정서지원 프로그램을 같이 받아왔다. 초등학교 1학년부터 5학년까지 구성된 이 참가자들은 오랜 시간 동안 복지관 복지사나 상담사의 관찰, 혹은 정서행동검사 등을 통해서 진단된 문제성이 있는 학생들이었다. 이들은 상담이 필요한 ADAD, 조울증, 결벽증 등이 있었다.

그동안 많은 프로그램이 진행되었던 이 그룹을 대상으로 <쿠키플레이 상담> 프로그램을 진행했다. 이 과정을 통해 학생 각자가 긍정적인 변화를 보였다. 이 프로그램을 담당하던 복지사는 모든 프로그램이 시행할 때마다 의례적으로 사전·사후에 검사하는 이 회복 탄력성 향상 검사에서 그동안 했던 다른 프로그램보다 높은 향상이 있었다고 했다. 여기뿐 아니라 다른 곳에서도 쿠키플레이는 사전 사후의 검사는 유의미하게 나왔다. 그러나 이런 수치적 기준보다는 실제적 변화를 볼 수 있고 느낄 수 있게 하는 것, 그들의 인간적인 모습과 그들의 말 한 마디의 의미를 보는 것이 본 연구에 더 큰 의미가 있다. 그래서 수치적 변화보다는 사례와 그들의 이야기를 중심으로 연구하는 것이 중요하다.

A복지관 대상 아동 중 특히 ADHD 증세가 있고 실제 치료를 받는 아동인 진수와 조울증 혜진이의 주목할 만한 변화가 나타났다.

진수의 경우는 다른 프로그램을 많이 접했는데 집중하지 못하고 중간에 뛰기도 하고 출석을 제대로 하지 않아서 프로그램 진행을 마무리하지 못한 경우가 많은 아동이라고 했다. 본 프로그램을 진행할 때 이런 점이 전혀 나타나지 않았을뿐 아니라 오히려 본 프로그램에 놀라운 집중력 향상을 나타냈다. 특히 중간에 진수가 팔을 다쳐 기브스를 한 일이 생겼다. 보통 양손을 못 쓰면 쿠키플레이 프로그램에 참여하기 어려우므로 참석하지 않아도 이상한 일은 아니었다. 그러나 기브스를 하고서도 빠짐없이 참여해 프로그램을 끝까지 마쳤다. 특히 부모교육을 1학기에 한 번, 2학기에 한 번 실시했는데 2학기 교육에서 진수 엄마가 진수가 쿠키플레이 프로그램을 하고 많이 달라졌다며 감사의 마음도 전했다.

혜진이의 경우, 초창기 프로그램을 진행할 때 교사들을 가장 어렵게 했던 학생 중 하나였다. 조울증이 있는 학생이었는데 학교에서도 소문이 날 정도로 독특한 행동을 많이 했다고 한다. 그래서 학교에서도 다양한 접근 상담 지원 등을 했지만, 큰 변화는 없었다고 한다. 그러나 쿠키플레이 수업을 받았던 2014년도에 큰 변화가 있었는데 2014년 학교에서 복지관 담당자에게 전화해서 혜진이가 많이 변했다며 복지관에서 요즘 무슨 프로그램을 하고 있는지 물어보기도 했다고 한다.

이 프로그램을 진행하면서 매회 보고서를 만들고 교사들의 사례 회의를 통해서 대상의 특성을 이해하고 변화를 알기 위해서 노력했다. 일 년의 프로그램을 마무리하며 프로그램의 평가를 하면서 쿠키플레이가 갖는 장점들이 입체적으로 정리가 되었다. A복지관의 일 년의 집단 상담 프로그램의 정리는 그전에 진행되었던 쿠키플레이 프로그램이 갖는 특성과 장점이 정리되는 과정의 계기가 되었다. 또한, 그 이후에 진행된 프로그램의 특성을 예상하게 되고 확인하게 되는 차원에서 이 특성과 장점들은 본 연구를 이해하는데 바탕이 될 것이다.

① 낮은 자존감
자기 자신을
사랑하지 않는다
(70%)

② 표현능력 부족
- 작품 만드는 속도 느림
- 창의력 부족
- 단조로운 색감
- 작품 형태의 단조로움

③ 정서문제
- ADHD
- 조울증
- 결벽증
- 인지능력 부족

A복지관 쿠키플레이 프로그램 참여자

본 쿠키플레이 프로그램을 진행하기 전에 대상 아동 중 자기를 사랑하지 않는다고 답한 참여자가 70%였고, 그 외 대상들도 그리 높지 않은 자기 사랑을 나타냈다. 이들은 13명 중 대부분은 ADHD, 조울증, 결벽증, 인지능력 부족 등의 정서적 문제를 가지고 있었다. 프로그램을 진행하면서 발견한 이들의 특징은 만드는 것을 주저했고 속도가 느렸고 단조로운 색감 및 표현이 잘 이루어지지 않았다. 이런 정서적 문제를 가지고 있거나 자존감이 낮은 참여자가 일반적으로 보이는 행동 중 하나가 사진 찍기를 거부하는 것을 볼 수 있다. 보통 학생들의 경우는 사진을 찍어 달라고 웃으면서 요구를 포즈를 잡는 경우가 일반적이다. 물론 개인적인 성향의 문제로 본인의 얼굴이 찍히는 것을 싫어하기도 한다. 그러나 자기의 작품을 타인에게 보이는 것을 거부하는 것은 정서적 문제를 가지거나 자존감이 낮은 학생에게서 주로 나타났다.

사진 촬영을 회피하는 아이들

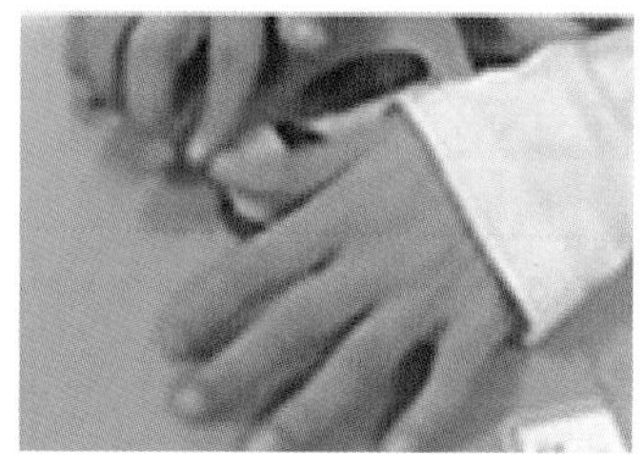

쿠키를 가리는 손

쿠키플레이

쿠키플레이는 과자의 의미를 내포한 '쿠키'(cookies, biscuits)와 '놀이'(play)라는 단어가 합쳐져 하나의 단어로 형성되었다.

그러나 쿠키플레이는 단순한 쿠키로 '가지고 놀기'의 영역을 넘어 '쿠키+놀이+교육+치료+건강(cookies+play+education+therapy+health)'이라는 개념을 통합적으로 접목시킨 통전적 전인교육(whole-rounded education) 개념으로 접근하였다.

쿠키는 밀가루 반죽으로 다양한 모양의 맛있는 쿠키를 만드는 것으로 일반적인 접근이었다. 이때 쿠키의 목표는 맛있고 보기 좋은 쿠키를 만드는 것이 목표였다. 21세기 이후에 우리나라에서도 놀이적 개념의 발달을 지지해주는 색깔 반죽이 완성된 형태로 보급됨으로써 쿠키는 새로운 국면을 맞게 된다. 쿠키를 놀이로써 교육과 상담에 시도한 책이 나오게 된 것이다. 『쿠키플레이』(안미진, 2013) 책은 '쿠키플레이'라는 개념을 만들어낸 첫걸음이었다. 이 책은 이론서가 아니라 현장에서 쿠키를 도구로 사용한 교육의 임상적 경험이 바탕이 된 책이다. 이 책은 다양한 교육적 시도와 교육적 효과를 바탕으로 어떻게 쿠키를 교육적으로 접목하면 되는지를 소개한 책이다.

쿠키플레이의 등장은 다양한 과정을 통해 2000년도에 들어서면서 근간을 마련했고, 2010년에 구체적인 쿠키플레이적 교육의 시도가 이루어져서 교육 현장에서 사용되고 있다. 2010년부터 실제 교육 현장에서 적용한 경험을 바탕으로 저자는 쿠키플레이라는 개념을 정리하였다. 즉, 먹을 수 있는 쿠키는 '먹는다'는 개념은 물론, 다양한 색감을 바탕으로 하나의 놀이로 그 영역을 확대한 것이다. 이렇게 계발된 쿠키플레이는 시대적으로 놀이가 교육이 될 수 있고, 놀이가 상담 도구가 될 수 있다는 것에 대한 지지와 연구가 지속되어 그 영역이 발달한 시류를 만나게 되어 교육과 상담의 영역으로 자연스럽게 접근하게 된 것이다. 찰흙놀이가 흙이라는 재료로 시작되었다가 점점 다양한 재질과 색채를 띤 재료의 발달을 가져온 것처럼, 쿠키도 밀가루를 기반으로 만들어지다가 밀가루가 반죽된 형태로 보급된 도우에 다양한 색의 재료를 갖게 되었다.

이처럼 쿠키플레이의 등장은 교육의 다양한 시도와 접근, 놀이라는 것이 교육과 상담이 될 수 있다는 개념의 확대, 그리고 쿠키 색깔 도우가 등장함으로써 가능했던 것으로 볼 수 있을 것이다.

특히 색채가 있는 반죽을 이용하여 쿠키를 조형할 수 있다는 것은 다양한 효과를 동반할 수 있게 되었다. 쿠키라는 것이 요리의 영역뿐 아니라 미술적 측면, 예술적인 의미와 더 나가서 색채를 바탕으로 한 상담적 도구와 접목할 수 있는 근간이 마련되었다는 것이다. 이는 쿠키가 놀이와 결합을 하면서 쿠키플레이는 먹을 것을 만드는 요리의 개념을 넘어서 교육적으로, 상담적으로 접근할 수 있는 도구가 되었다는 것이다.

쿠키플레이 장점 - 상담과 교육의 오감 적용

❶ 오감의 정의

인간의 경험 또한 보았던 것, 만졌던 것, 냄새, 맛, 소리로 경험이 저장된다. 일반적으로 감각의 종류를 이야기할 때엔 감각기관 중 '눈, 귀, 코, 혀, 피부', 이 오관(五官)을 통해 느끼는 '시각, 청각, 후각, 미각, 촉각'의 다섯 가지 감각인 오감이다.

어느 한 부분의 뇌가 발달하는 것이 아니라, 모든 뇌가 골고루 왕성하게 발달하므로, 오감 학습을 통해 두뇌를 골고루 자극할 때 뇌 발달이 효과적으로 될 수 있으며, 다양한 감각을 활용하게 하는 경험이 다양한 기억경로를 통해 저장되고 활성화되기 때문이다.(신명숙, 2012) 따라서, 두뇌의 통합적 발달을 위해 오감을 자극하는 활동은 중요하다. 쿠키를 만드는 과정을 준비하고, 만들고, 굽고, 그것을 먹는 과정에서 오감의 자극이 충분히 이루어질 수 있다.

㉮ 시각

빛 자극은 동공을 통해 망막으로 들어가 전기신호로 변환된 뒤, 신경절 세포에 모아져 신경섬유 다발을 거쳐 시신경을 통해 뇌로 들어간다. 이후 전기신호로 변환된 시각 자극은 시신경 중뇌의 상구와 후두엽의 일차 시각피질로 전달되어 비로소 뇌에서 인식된다.

㉯ 촉각

피부감각은 기계 '감각, 통증 감각, 온도'로 나뉘며, 촉각은 이 중 압력이나 접촉과 같은 물리적인 힘에 관련된 감각인 기계 감각에 속한다. 감각 수용체들은 표피와 진피에 다양하게 분포되어 있다. 이 중 촉각은 기계 감각에 속하며, 통증 감각은 1차 통증과 2차 통증으로 나뉘고, 매운맛 등의 다른 자극에 의해서도 느껴질 수 있다. 온도 수용체의 경우 특정한 온도의 범위를 넘어서는 자극에 대해서는 통증으로 느끼기도 한다. 통증 자극의 경우, 감정을 담당하는 뇌의 영역에도 도달하게 되어 개인마다 다른 통증에 대한 주관적인 느낌과 감정을 유발한다는 것이 특징적이다.

㉰ 청각

소리는 기체, 액체, 고체에서 발생하는 진동으로 생기며, 이러한 진동이 만들어낸 음파는 귓바퀴에 모인 뒤 외이도를 통과하여 고막에 부딪히고, 고막 안쪽의 망치뼈와 모루뼈, 등자뼈 등을 통해 달팽이관까지 전달된다. 소리의 담당은 변연계이며, 기억 중추에도 연결되어 의식적이든 무의식적이든 모든 소리는 감정을 유발하게 되며, 기억된 소리와 비교된다. 소리를 듣는다는 것은 소리가 귀를 통해 전달되는 그대로를 수동적으로 듣는 것이 아니라 뇌를 통해 소리가 재해석되는 과정이다.(최현석, 2009)

㉱ 미각

맛은 짠맛, 단맛, 신맛, 쓴맛, 감칠맛의 다섯 종류가 있으며, 매운맛은 통증 감각, 떫은맛은 기계 감각, 찬 맛은 온도 감각에 해당한다. 혀에는 미뢰가 있는 유두가 있으며, 미뢰에는 미각세포가 존재한다. 맛을 내는 화학물질이 혀에 닿으면 미뢰에 있는 미각세포에서 전기신호로 변환되고, 뇌신경과 시상을 거쳐 뇌섬엽과 이마덮개피질까지 전달된다. 미각의 경우, 다른 감각 정보들을 함께 종합하여 구별할 때 정확한 구별이 가능하다는 점이 특징적이다.

㉲ 후각

후각신경을 따라서 대뇌피질의 후각 겉질(피질), 안와전두피질과 편도체까지 전달된다. 후각은 중간과정이 없이 냄새 정보가 뇌로 바로 전달되며, 나아가 편도체 등 감정과 기억을 담당하는 뇌의 영역에 바로 연결되기 때문이다. 이로 인해 냄새는 사람의 감정과 기억에 직접 영향을 미치게 되고, 후각은 다른 감각보다 빠르고 확실하게 감정을 동반한 기억을 떠올릴 수 있는 매개체가 된다.

❷ 오감의 활용과 창의력 및 뇌 기능의 향상

오감은 무언가를 바라보고, 소리를 듣고, 맛을 보고, 냄새를 맡고, 만져서 느껴보는 것으로, 각각의 감각들이 혼자서 역할을 하는 것처럼 보이지만, 이 기관들은 몸속에서 모두 연결되어 인식되는 하나로 통합된 감각이기도 하다.

로웬펠드(Lowenfeld, 1993)는 아동의 감각을 그들 삶의 특성에 노출함으로써 아동의 창의성이 가장 잘 발현되도록 조력할 수 있다고 보았으며, 토랜스(Torrance)는 창의성에 대해 '문제를 인식하고 해결하기 위해 아이디어를 도출하고, 가설을 세워 검증하여 결과를 전달하는 과정'이라고 정의하였다.(Torrance, 1977; 문정화, 하종덕, 1999, p.29, 재인용)
길포드(Guilford)는 창의성이 기존의 논리적이고 수렴적인 지능이나 사고력과는 다른 확산적이고 생산적인 사고와 관련된 독특한 지능이라고 보았으며(Guilford, 1967; 김춘일, 2000, p.14, 재인용), '새롭고 신기한 것을 산출하는 능력'이라고 정의하였다.(Guilford, 1950, 문정화, 하종덕, 1999, p.29, 재인용)

오감체험을 통해 수집된 다양한 감각 정보를 처리하고 판단함으로 전두엽이 활성화되면 아동의 창의적 사고 역시 촉진될 수 있는 것이다. 측두엽은 청각 정보를 받아들이고 오감 자극을 통합하며, 두정엽은 촉각 정보를 받아들이고 몸의 감각을 담당하는 역할을 한다.(김영훈, 2015) 따라서 오감을 자극하는 자유로운 놀이와 신체활동 속에서 감각적인 경험은 감성과 지적발달이 이뤄지며, 오감체험 활동은 아동의 뇌 발달과정에 적합하며, 사고 과정을 거쳐 인식과 감정의 형성으로 창의성을 포함하는 고차원적 정신기능을 수행하여 대뇌피질을 다양하게 자극하므로 뇌 기능 향상 효과를 기대해 볼 수 있다.

쿠키플레이 장점 - 신체조절 능력 향상을 상담과 교육에 적용

❶ 소근육의 발달

소근육 운동은 사물의 조작, 식사, 옷 입고 벗기, 배변, 세면 등의 일상 생활과 많은 연관이 있어 소근육의 발달은 매우 중요하다. 반죽을 두들겨 보고, 모양을 만들고 하면서 소 근육을 발달시킬 수 있다. 자연스럽게 반죽을 만지고 주무르는 과정, 눌러보는 과정에서 소 근육을 사용하게 되고, 촉각적인 자극과 손가락의 힘 등 미세 근육을 강화하고 손의 소근육과 팔 근육의 사용을 촉진한다.

❷ 협응력의 발달

소근육 운동은 시 지각 협응을 통해 더 정확해지고 정교하게 된다. 시 지각이란 시각과 손의 정보가 효율적으로 적용되는 능력으로, 시 지각과 소 근육 운동의 정보가 효율적으로 이루어지지 못하면 동작의 시작과 끝을 확실하게 하기가 힘들게 된다. 쿠키를 만드는 과정에서 다양한 모양의 쿠키를 만드는 과정 등 손동작을 통해 눈과 손의 협응력과 신체조절 능력이 발달한다.

쿠키플레이 장점 - 색의 인지와 감성발달

우리의 눈은 색을 보지만, 대뇌로 전달되어 색을 느끼고 해석하고 받아들여 '심리적인 반응'을 보이면, 비로소 지각되는 것이다. 색의 심리적인 요인은 각 개인이 받는 심리적 색채 반응을 규명하는 것으로 개인의 주의, 기억, 감정 등의 성향이 작용하게 된다. 색을 보게 되는 마지막 과정은 뇌에 '기억'이나 '자극'이 가해진 것이다. 색은 개성과 환경, 조건에 따라 서로 다른 감정을 갖게 된다.

색과 감정의 관계는 일생을 통해 쌓아가는 경험 즉, 어린 시절부터 언어와 사고에 깊이 뿌리 내린 경험의 산물이다. 보았던 것, 만졌던 것, 냄새, 맛, 소리로 저장되어 경험된다. 색도 보았던 것, 만졌던 것, 냄새, 맛, 소리의 경험으로 저장된다. 색은 보이기만 하는 것이 아니라, 만져지고 느껴지는 것이다. 현재 우리가 사는 세상은 색으로 인해 다양하고 풍요롭게 만들고 있으며, 풍부하고 화려한 세상의 색이 우리의 삶에 활력과 치유하는 힘을 가지고 있다. 색이 드러내는 감정은 어떤 언어보다도 빠르며, 정확하게 인식되므로 색은 뇌로 느끼고 온몸으로 전달한다. 색채는 형태가 설명할 수 없는 표현 수단으로서 의미이며, 내면 세계에 한 경험을 쌓게 하는 하나의 소중한 감성이 될 수 있다. 개념적인 의미가 아닌 감동, 인상, 기억으로서의 의미로 논해야 한다.

쿠키플레이 장점 - 정서적 안정감 증대

❶ 정서

정서란 사물을 접할 때 기쁨, 슬픔, 노여움, 괴로움, 사랑, 미움을 느끼게 되는 마음의 작용이나 기능을 가리킨다.

㉮ 정서적 안정감의 정의

정서 안정감은 한쪽으로 치우침이 없음을 말하는데, 그렇다면 지나치게 긍정적이지도 않고 부정적이지도 않은 상태를 말하는 것을 의미하는 것이다. 평가 차원에서 완전히 중립인 정서 상태를 경험하기는 쉽지 않지만, 사람들은 특별히 위협적인 자극이 존재하지 않고, 처리해야 할 정보의 압력을 받지도 않으며, 자기개념이 관여되지 않은 상황에서 정서적 균형 상태 즉 정서적 안정을 경험한다.

㉯ 쿠키 조형과 정서적 안정감

반죽을 주무르고 누르고 손가락으로 찔러보거나 이완된 상태로 이끌 수 있으며, 실패의 두려움보다는 성공의 즐거움 속에서 흥미를 유발해 자발적인 참여 태도와 집중력을 높인다.(김은숙, 2005) 가소성, 유연성, 감성이 있는 매체로서, 성형과 제거가 쉬워 여러 번 수정하는 과정을 통해 긴장을 해소할 수 있어 정서적 안전감을 가질 수 있다.(김은실, 2010)

❷ 감정의 표출

감정(feeling)이란 사물에 느끼어 일어나는 심정, 마음, 기분, 생각을 말한다. (신체의) 생리학적, (행위의) 행동적, (정신의) 인지적 요소가 동반된 우리 몸 모든 기관의 갑작스러운 반응이라고 말할 수 있다. 개인의 생활에서 일어나는 사건을 인지하고 활동하는 대상을 여러 가지 형태로 경험하는 태도와 반응을 포함하는 기쁨, 슬픔, 분노, 화 같은 체험들이 감정이다. 우리의 사고는 언제나 감정에 의해 지배되고 있다. 사물을 보거나 듣는 다른 모든 마음의 기능과 마찬가지로 감정은 뇌에서 만들어진다. 신경세포가 어떤 감각의 인상을 파악하면 동시에 우리의 뇌에서 자극에 대한 감정 평가가 시작된다. 시각, 촉각, 청각을 통해 자극이 도착하면, 어떤 상황에서 전달된 자극인지 분석하고, 그에 따라 뇌는 온몸에 머리의 느낌을 전달한다. 그런 감정들을 오감을 바탕으로 느끼고 쿠키플레이를 하면서 감정을 느끼고 표현할 수 있다.

쿠키플레이는 먼저 교육 활동의 접근을 시작하였다. 그런 교육 활동 속에서 참여 대상 학생들의 변화가 나타났다. 특히 2년을 연달아 시행한 A초등학교에서의 방과 후 <쿠키플레이 교실>에서는 학교에 부적응적인 남학생 세 명이 이 프로그램에 참여했는데, 이 학생들의 긍정적 변화가 나타났다.

교육으로 접근했던 프로그램 운영에서의 긍정적 변화가 상담의 영역으로 입문의 촉진제가 되었다. 쿠키플레이는 이렇게 2010년 초반부터 상담의 영역으로 초·중·고등학교 상담실에서 운영하는 정서 행동 검사에서 위험성이 있는 대상을 중심으로한 상담 프로그램으로 접근이 시작되었다. 그 결과 다양한 내담자의 긍정적인 변화를 불 수 있었다.

쿠키플레이의 교육적 접근과 상담적 접근에서 적용되는 프로그램이 공통적인 것도 있지만 상담은 더 분석적인 도구로 접근하였다. 쿠키볼 분석, 자기분석지, I-U-G 등 쿠키테라피의 상담을 위한 프로그램을 더 선호하고 사용한다. 쿠키테라피는 쿠키플레이를 통한 심리적 영역의 접근을 보다 중요시하고 그것을 통한 레포 형성, 심상의 분석을 중심으로 더 상담적 접근을 목적으로 하는 영역으로 볼 수 있다. 즉, 심리 상담에 전인적 오감(five senses)을 도입한 도구이다.

쿠키테라피는 상담학, 미술학, 미술치료학, 임상심리학 이론을 기초로 하여, 쿠키 활동을 통한 심상 해석을 의미한다. 해석, 통찰로 문제 원인을 발견하고 상담을 통해 치료하며 내담자의 회복과 성장에 중요한 역할을 하는 행동과학의 한 분야이다. 쿠키플레이를 통해 심리치료를 할 수 있는 것은 내담자가 자신도 모르게 내면에 감추어진 경험, 생각과 감정, 정서, 성격 등 인간의 심상(image)을 쿠키로 시각화해 놓기 때문이다. 이를 근거로 내담자의 내면을 분석 진단할 수 있으며 내담자의 문제를 사전에 파악하여 예방하는 것에 도움을 줄 수 있다.

쿠키라는 요리에 놀이라는 개념을 결합하여 안미진은 쿠키플레이의 개념을 만들었으며 이 놀이가 교육적 효과를 나타내는 네 가지 영역을 분류함에 따라 학문적 근간을 마련했다. 이 분류를 바탕으로 교육에 적용함에 따라 얻어지는 심리적 안정과 자아 효능감, 건강한 자아 등의 효과는 상담적 도구로 발달을 가져왔다.

AMJ 쿠키플레이&테라피 4가지 내용적 기둥 분류표

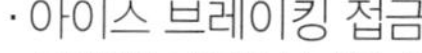

문자 쿠키
- 아이스 브레이킹 접금
- 심리적 부담이 낮은 영역
- 교육 시작할 때 적용 용이
- 종류: 네임, 메시지, 편지 감상문 등
- 가장 많이 이용, 글자로 표현
- 중성형

형상 쿠키
- 색감과 여러 표정 등으로 마음 표현
- 종류: 얼굴, 사람, 가족, 친구, 동물, 자연물, 사물
  - 우뇌형
  - 여성형
  - 몰입형

얼굴

추상 쿠키
- 종류: 감정, 마블쿠키 (구체화, 추상)
- 남성형
- 좌뇌형
- 발산형
- 2차 성형이 주는 상담적 의미 내포

바탕 쿠키
- 주된 역할: 종합적 생각, 심상 표현 (ex) 그림 또는 사진
- 부수적 역할: 조언, 도화지 역할 (ex) 네임쿠키 또는 형상쿠키의 배경
- 이야기 쿠키: 상담에 이용하기 좋다

AMJ 쿠키플레이&쿠키테라피 DIMS

쿠키플레이&쿠키테라피	단 계
D (DOUGH)	반죽을 만지고 주무르기
I (IMAGES)	주제에 대한 영상을 마음속에 떠올리기
M (MAKING)목표	만들고 싶은 모양으로 조형
S (SHARING)	쿠키플레이 작품에 관해 이야기 나누기

쿠키플레이 & 쿠키테라피 관련 이론들

❶ 인지발달이론

쿠키가 인지적 과정의 결과이며, 그것은 아는 것의 표현이라고 보는 것이다. 인지발달이론은 아동 미술작품을 아동의 인지적 발달 단계의 반영으로 보는 것이다. 이 이론의 공통된 약속은 아는 것만을 만들 수 있다는 것이다. 그들이 알지 못하거나 개념화할 수 없는 것을 만든다는 것은 불가능하다. 그래서 아동이 투시적(X-ray) 표현을 하거나 점, 중앙원근법 등을 사용해서 만드는 이유는 보이는 대로가 아닌 아는 대로 만들기 때문이며, 아동이 만드는 대상을 보지 않고 만드는 것을 보면 알 수 있다고 주장한다. 즉 기억에 의한 개념으로 만든다는 것이다. 그래서 구디너프와 해리스는 어느 정도의 개념을 가지고 있는가를 지능적인 성숙의 척도로 보고 표준화 검사를 개발하였는데, 이는 각 대상을 묘사하는 세밀함의 정도에 따라 점수화할 수 있다고 생각했기 때문이다.

❷ 지각발달이론

아동이 사물을 자신이 본 대로 그리거나 만든다는 생각이다. 이 입장은 쿠키가 그들의 시각적 세계에 대한 지각을 작품 속에 그대로 나타낸다는 것이다. 그래서 아동의 쿠키에서 그들의 지각 방식을 엿볼 수 있다는 것이다. 이 관점의 이론적인 근거는 게슈탈트(형태심리학) 이론이다. 어린이가 대상을 지각하는 것은 대상의 구조를 지각하는 것으로 사람은 머리, 몸통, 팔다리로, 나무는 나뭇잎으로 된 둥근 원형과 나무 둥치로 지각한다는 것이다. 이러한 개략적인 지각은 아동이 성장하면서 분화(differentiation)되고 복잡해져 세부의 특징을 지각할 수 있게 되는 것이다. 아동은 대상의 외형적인 개략적 특성을 감각적 수준에서 묘사하며 초기에 모든 사물을 동그라미로 그리는 것은 사물의 둥근 형태가 아니라 사물을 상징적으로 나타내는 것이며, 그것은 '추상화된 개념'의 재현이 아닌, 시각적 지각상의 재현'이라고 한다.

❸ 개성표현이론

어린이의 그림은 정서의 구체화이며, 그래서 어린이의 그림은 프로이트의 학설에 기인하여 진실의 언어라는 관점을 취한다. 프로이트는 인간의 잠재의식이 시각적으로 재현된다고 믿는다. 프로이트 학파는 표현의 구체화 과정을 비언어적인 과정이라고 본다. 그래서 비언어적인 표현은 지능에 의해서 이루어지지 않는다는 것이다. 따라서 아동의 쿠키에서 알 수 있는 것은 정서이며, 아동의 개성 측면을 고려하여 쿠키를 바라보아야 한다는 것이다. 이 입장은 표현 내용이 진실한 정서를 드러낸 것이기 때문에 평가해서는 안 된다고 주장한다. 프로이트는 예술을 '작가의 심층 의식 속에 있는 본능적 충동의 표출'이라고 파악하고 있다. 이러한 프로이트의 생각은 예술을 너무 형식적인 면과 의도적인 면을 무시했다는 지적을 많이 받으나 쿠키에 영향을 미쳐 아동의 쿠키표현을 그들의 정서와 감정, 특히 무의식의 표출로 보는 관점을 낳게 했다. 이 관점은 알슐러, 헤트윅, 슈테른 등이 지지하였으며, 아동에게는 무의식이 많이 잠재되어 있고, 잠재된 무의식과 정서, 개성 등이 쿠키 작품을 통해 표현됐다는 것이다. 인지 능력은 감정이나 정서적 억압을 받았을 때 급격히 저해되기도 하며 방해를 받는다. 그러나 재미있고 창의적인 쿠키테라피 활동은 어린이의 잠재된 욕구와 내적인 가능성을 일깨울 수 있다.

쿠키테라피의 본격적인 접근은 집단 상담으로부터 시작되었다. 상담적 도구로 접근한 정서 행동적 문제를 지닌 초등학생을 대상으로 한 복지관과 연결한 프로그램이었다. 이 복지관은 A복지관으로 담당 복지사의 밀접한 관계와 관심으로 몇 년에 걸쳐 진행했던 집단 상담 프로그램이다. 이 프로그램으로 참여 아동의 개인적 변화 및 회복 탄력성의 변화는 긍정적이며 유의미하게 평가되었다. 프로그램에 참여 학생들의 긍정적 변화는 쿠키테라피의 다양한 적용은 물론이거니와 쿠키테라피의 효과를 인정하게 된 좋은 사례가 되었다.

종합복지관 아동복지 시설인 지역아동센터에서 정서 행동 문제 아동을 대상으로 여러 가지 정서 지원 프로그램을 진행해 본 결과, 가장 흥미를 느끼고 적극적으로 참여하는 활동은 요리 프로그램이었다. 2014년도 1월 지역아동센터를 이용했던 아동들은 이미 미술치료부터 원예치료까지 다양한 프로그램에 노출이 있었다. 담당 복지사는 새로운 프로그램을 찾았고 그 프로그램은 쿠키플레이를 기반으로 한 집단 상담이었다. 비교적 쿠키플레이 & 테라피의 등장 초기였으므로 큰 기대 없이 진행된 프로그램에서 참여 아동의 호응도가 이전 프로그램보다 월등히 좋았기에 다양한 시도를 진행할 수 있었다. 특히 부모교육 및 상담의 연계를 계기로 참여 대상자의 긍정적 변화가 빠르게 나타났다.

❶ 내담자 마음 열기에 좋은 상담

상담에서 가장 중요한 내담자와의 관계 맺기가 쿠키테라피에서는 빠르게 이루어질 수 있는 강한 장점이 있다. 이 장점은 다른 상담에서 몇 회기가 지나도 마음을 열지 않는 내담자들이 쿠키테라피의 접근 1 - 2회기 안에 자신의 속마음을 이야기하는 사례가 많이 나타났다. A복지관을 참여 대상으로 진행한 요리(제과제빵) 프로그램에 대한 선호도가 가장 높았다. 요리 활동은 요리방법이라는 무형의 창의성과 요리를 통해 유형의 산출물이 창출됨으로 인해 아동에게 성취감을 느끼게 한다. 또한, 아동은 요리 활동을 통해 인지적, 사회적, 문화적인 학습 기회를 갖게 되고 협동의 필요성과 집단 안에서 나눔의 중요성에 대해 배울 수 있기 때문이다.[1] 선행연구[2]에 의하면 우울 공격성을 보이는 저소득층 아동에게 정서·행동 문제를 통합하여 다룰 수 있는 요리활동 프로그램을 시행한 결과, 우울증을 보이는 저소득층 아동의 우울증과 공격성을 감소시키는데 유의미한 효과를 가져왔다. 그러므로 요리 활동과 상담, 심리치료 프로그램이 접목된 쿠키플레이 상담교실을 진행하여 아동에게 심리사회 발달의 기회를 제공하였다.

❷ 낙인감이 없는 상담 프로그램

지역아동센터 내에서는 문제행동을 보이는 아동을 위해 외부의 전문 상담 치료 기관을 연계하거나 따로 격리하여 개별상담 프로그램을 진행하는 경우가 많았다. 그러나 외부 전문기관에 연계할 경우, 상담 서비스를 받는 동안은 잠시 좋아지는 것 같았으나 상담 서비스가 종료된 이후에는 상태가 더 악화되거나 문제행동이 다시 시작되는 경우가 많았다. 또한, 고비용의 상담 서비스를 지속적으로 제공할 수 있는 여건도 되지 않았다. 심지어 센터 내에서 대상 아동을 따로 분리해 개별상담을 진행할 경우, 처음에는 타 아동들이 부러워하는 경향이 있었으나 시간이 흐르면서 그 아동을 문제 아동으로 인식하기 시작했다. 이러한 상황 속에서 상담 서비스를 받는 아동은 낙인감으로 인해 상담을 거부하는 사례가 종종 발생했다. 그러므로 아동이 낙인감 없이 집단 상담 프

1) 요리활동이 아동이 자아 존중감 및 친사회적 행동에 미치는 영향(2008) 김희정
2) 우울·공격성을 보이는 저소득층 아동을 위한 요리활동 프로그램의 적용효과(2008) 김지혜

로그램에 참여할 수 있는 방식으로 진행했다. 또한, 아동들이 선호하는 요리 활동인 쿠키와 상담 프로그램을 접목하여 그동안 아동들이 경험한 상담 프로그램에 대한 인식을 전환하여 거부감없이 참여할 수 있게 하였다.

❸ 진단과 치료의 동시적 효과를 기대할 수 있는 상담

기존 상담프로그램은 치료기능보다 진단 기능에 비중이 높았다. 그러다보니 프로그램의 내용 또한 진단과 해석에 초점이 맞춰져 구성되었다. 그러나 쿠키플레이 상담은 쿠키를 만드는 활동 그 자체만으로도 치료적 효과가 있다. 활동 목적이나 내용이 진단을 위한 것이든 그렇지 않든 쿠키로 무엇인가를 만드는 과정에서 오감을 충족할 수 있고 심리적 안정감을 얻는 장점이 있다.

2014년도와 2015년도에 종합사회복지관에서 교육복지 지역기반형사업으로 진행한 A복지관 가족성장교실 프로그램인 쿠키플레이 상담교실에 참여한 아동들의 사례를 보면 다음과 같다. 대부분 아동에게 공통으로 나타나는 특징은 일반 아동보다 표현력이 부족하고 쿠키를 만드는 창의적 활동을 하는 것에 많은 어려움을 느껴 속도가 현저히 느리고 완성도가 떨어졌다. 또한, 자신감 결여로 부정적인 언어적 표출이 많았다. 쿠키작품을 만드는 것에 어려움을 느끼며 노력해 보지 않고 바로 교사에게 의존적인 태도를 보이는 경우가 많았다.

박OO(여) 아동의 경우, 결벽증 증세가 있어 주변 사람들과의 마찰이 생기고 스스로 스트레스를 많이 받았다. 초기에는 쿠키 반죽을 만질 때 손에 묻는 것과 반죽을 나눠주는 선생님 손의 위생 상태에 대한 의심 등으로 인한 불만을 많이 표출하였으나 중반기 이후부터는 이러한 증상을 보이지 않는 효과가 있었다. 박OO(남) 아동의 경우에는 주의력 결핍으로 5분 이상 무엇에든 집중하는 것이 어려운 상태였다. 그러나 쿠키를 만드는 시간에는 놀라울 정도로 집중하는 모습을 보여주었다. 강OO(여) 아동의 경우에는 프로그램 참여 초기에 침울한 분위기로 다른 아동들에게 욕설도 자주 하고 사진을 찍는 것에 대한 강한 거부감을 표출했다. 손OO(남) 아동은 쿠키를 구체적으로 형상화하여 작품을 만드는 것에 많은 어려움을 느꼈다. 수업마다 마무리하는 시점에서는 반죽을 모두 섞어버려 하나의 덩어리로 뭉뚱그려 놓기를 7회기 정도까지 지속하였다. 이러한 특성은 7회기 이후부터 차츰 나아져 주제에 맞는 모양으로 쿠키를 만들기 시작하였다. 그런데 여름방학으로 인해 약 한 달간 쿠키플레이 수업이 중단되었다가 다시 시작하게 된 시점에는 초기에 보였던 모습이 되풀이되는 양상을 보였다. 하지만 대부분의 참여 아동은 5회기 정도부터는 표정이 밝아지고 자신해서 사진을 찍어달라고 요청하였다. 쿠키를 만들 때 속도가 빨라지고 작품에 대한 애착심이 깊어지는 효과가 있었다.

이 밖에도 참여 아동 대부분이 쿠키를 만들어 가족과 친구, 선생님에게 나눠주는 사례가 점점 증가하였다.

❹ 애착 형성이 높은 상담

상담을 하다보면 마음을 좀처럼 주지 않는 학생들을 종종 만나게 된다. 상담에서 관계(레포)를 형성하는 것만큼 어려운 것이 없다는 것을 현장에 갈 때마다 느끼는 일이다. 그러나 관계(레포) 형성이 잘 되면 상담은 그냥 절반의 성공으로 봐도 좋을 만큼 중요한 역할을 한다.

복지관에서 유달리 어려워하는 초등학교 저학년 여자아이가 있었다. 심한 조울증으로 학교에서도 힘들어하는 학생으로 알고 있는 아이였다.

처음에는 어려운 아이였지만 이 프로그램을 진행하면서 그 친구는 그전에 있던 원예치료나 미술치료 등에서 나타나지 않은 애착을 보였고 마음을 열었다.

그동안 자기가 만든 결과물에 관심이 없었던 다른 참여자도 자기 쿠키가 부서질 것을 염려해서 집에서 보관통을 가지고 올 정도로 자신이 만든 작품에 애착을 보이기 시작했다. 아무것도 관심이 없던 참여자가 자신이 만든 쿠키 한 조각의 애착을 보여주는 것은 레포 형성에 도움이 될 뿐 아니라 다시 한번 자신을 돌이켜 볼 수 있는 열쇠를 주는 것과 같다.
자기가 만든 그 어떤 결과물에도 관심을 보이지 않는 참여자들이 애착을 보인다는 것은 의미가 있는 일이며 쿠키플레이&쿠키테라피의 장점이다.

❺ 부모교육 시 참여 아동에 대한 피드백과 수퍼비전 제공

2014년도에 진행한 부모교육은 단순히 이론을 전달하는 것에서 그치지 않고, 참여 아동의 개별 작품에서 나타난 특성을 가지고 수퍼비전을 주는 형식으로 진행되어 학부모들의 높은 관심을 보였다. 가정에서의 아동 상황에 대해 부모님 이야기를 듣는 과정에서 참여 아동의 작품에서 보여주는 심리적 특성에 대해 더욱 구체적으로 이해할 수 있는 성과가 있었다. 1차 부모교육 이후, 가족문화체험 등에서 만남이 잦아진 부모님들 간의 유대감이 형성되어 2차 부모교육은 더욱 친밀한 분위기 속에서 진행됐다. 아이를 치유하고 싶어서 혹은 아이의 문제가 무엇인지 알고 싶어서 오는 부모는 먼저 부모 내면의 건강함이 우선되어야 한다. 자신을 사랑할 줄 아는 부모가 되는 방법에 대한 교육과 함께 여러 가지 활동을 진행하여 교육이 지루하지 않았고 학부모들의 참여도가 높았다. 부모들 자신이 유년기에 자신의 부모로부터 받은 상처에 대해 이해하고 이를 극복할 수 있도록 도왔으며, 더 나아가 자신을 사랑하는 부모의 모습이 자녀의 긍정적 자아존중감 형성에 미치는 영향에 대해 인지할 수 있도록 하였다. 또한, 자기 자신을 사랑하기 위해 할 수 있는 실질적인 활동을

제시하고 실습해 보게 하여 교육의 효과를 높였다. 1차 교육 이후, 진행되었던 수업 내용을 바탕으로 아동들의 쿠키작품에 나타난 심리 정서적 특성에 관해 설명하고 정서 지원을 위한 부모의 역할에 대한 수퍼비전을 제공하여 참여 아동의 회복 탄력성 향상에 도움을 줄 수 있었다.

또한, 자녀가 참여하고 있는 프로그램에 대한 이해도를 높이고 자녀의 정서 지원에 긍정적 영향을 미치는 부모의 역할들에 대해 인지할 수 있도록 하였다. 이로써 아동에게 가장 큰 영향력을 미치는 부모님들이 조력자로 함께 협력할 수 있게 하여 프로그램의 효과성을 높였다.

2015년도에는 모 지역아동센터와 B초등학교 학부모 교육이 9월과 10월 총 2회에 걸쳐 진행되었다. 중・고등학생 시기에 문제아가 되지 않도록 예방하기 위한 부모의 역할과 정서 지원 방법에 대해 쿠키플레이 상담을 받는 실제 사례를 가지고 부모교육을 진행하였다. 실제 사례로 교육을 진행하다 보니 교육에 대한 집중도와 참여율이 높게 나타났다. 강의식 전달 교육이 끝난 후, 학부모 개별상담을 통해 수퍼비전을 제공하였는데 이에 대한 만족도와 효과성이 높았다.

부모교육 및 부모 상담의 모습

쿠키테라피의 장점

❶ 쿠키는 심상(Image)의 표현이다.

쿠키 치료에서는 꿈이나 잠재의식, 경험이 순수한 언어적 치료로 해석되기보다는 심상으로 그려진다.

❷ 쿠키테라피는 방어가 감소 된다.

심상과 밀접한 관련이 있는 것이 방어이다. 우리는 어떤 다른 의사소통의 양식보다 언어화시키는 작업에 숙달되어 있다. 하지만 쿠키는 비언어적 수단이므로 통제를 적게 받는다.

❸ 쿠키는 구체적인 유형의 자료를 즉시 얻을 수 있다.

쿠키테라피의 또 다른 장점은 즉시에 구체적인 유형의 자료를 얻을 수 있다는 점이다. 즉 눈으로 볼 수 있고, 만져볼 수 있는 자료가 내담자로부터 즉시 생산되는 것이다.

❹ 쿠키는 자료의 영속성이 있어 회상할 수 있다.

쿠키는 보관 가능해서 내담자가 만든 작품을 필요한 시기에 재검토하여 치료의 효과를 높일 수 있다. 내담자 자신도 이전에 만든 작품을 다시 보면서 자신의 감정을 회상할 수 있다.

❺ 쿠키는 공간성을 지니고 있다는 것이다.

쿠키는 내담자의 경험을 복제한 것이기 때문에 가깝고 먼 것이나 결합과 분리, 유사점과 차이점, 감정, 특이한 속성, 가족의 생활환경 등을 표현하게 되므로 개인과 집단의 성격을 이해하기 쉽다.

❻ 쿠키는 창조성과 신체적 에너지를 유발한다.

내담자는 쿠키 작업을 진행하고, 토론하고, 감상하고, 정리하는 쿠키테라피 과정에서 신체적 에너지를 유발한다. 그리고 쿠키테라피는 하나의 작업이라기보다는 쿠키를 도구로 사용하여 역할극이나 인형극도 가능하다. 연계된 활동으로 연결할 때 상담으로서 다양성을 더 갖게 된다.

더 나가서 먹을 수 있는 도구라는 것은 여러 가지 교육과 차별화되는 점이다. 쿠키테라피는 미술치료와 요리치료의 특징을 가지고 있으며, 각각의 영역과 상호 보완이 가능한 상담 도구로서, 더 나아가, 통합적 예술치료에 포함된다고 할 수 있다.

예술 양식과 창조적 과정이 건강과 소통, 표현을 증진하기 위해 치료, 재활, 사회 또는 교육 상황에 개입됨으로써 신체, 감정, 인지와 사회적 기능의 통합을 도모하고, 자기 인식과 변화를 촉진 시킨다.

쿠키테라피를 통해 심리치료를 할 수 있는 것은 조형을 통해 자기표현과 심상을 살핌으로써 쿠키테라피는 내담자의 내면을 분석 진단하는 역할을 하고, 무의식을 의식화하는 것에 매우 중요하며 내담자의 문제를 사전에 예방하는 것에 도움을 줄 수 있다.

쿠키테라피라는 개념은 <쿠키플레이 상담·치료 입문서>(2014) 때부터 정리되었다. 그러나 2014년에 쿠키테라피라는 용어를 사용하지 않은 것은 많은 임상 사례를 바탕으로 쌓인 임상적 결과를 바탕으로 쿠키테라피라는 용어를 자신

있게 쓰고 싶었기 때문이다.
지금 2020년에 이 책을 발간하는 것은 의미가 크다고 보겠다.
그동안 많은 사람을 대상으로 쿠키테라피 집단 상담이 이루어졌고 그 상담에서 매우 유의미한 결과들이 나와주었기 때문이다.

쿠키테라피라는 의미의 설득력과 정당성을 더 갖고 싶었다. 쿠키테라피의 임상적 효과는 진행하는 프로그램마다 공통으로 갖고 있는가를 확인하고, 그 결과를 임상적 효과를 충분히 사례를 통해서 나타난 후에 쿠키테라피로 책을 준비하고 싶었다.

2014년 이후 쿠키플레이는 많은 교사를 통해 특히 상담교사와 영양교사를 중심으로 학교에서 위클라스의 정서 아동의 집단 상담과 개인 상담으로 영양상담을 해왔고 그 상담의 다양한 장소와 다양한 상담사님들과 현장의 선생님들을 통해 몇백 건 이상의 결과가 있다. 2020년도에 와서 비로소 쿠키테라피가 갖는 현장의 임상효과와 기대를 바탕으로 지금 이 사례집을 구성하고 발간하게 된 것이다.

다양한 연령과 다양한 장소에서 진행한 수많은 사례를 모은 쿠키테라피 사례집은 쿠키테라피가 앞으로 상담 도구의 영역에서 필요한 기대 영역을 보여줄 것이다.

쿠키플레이 &

테라피 운영 진행 사례

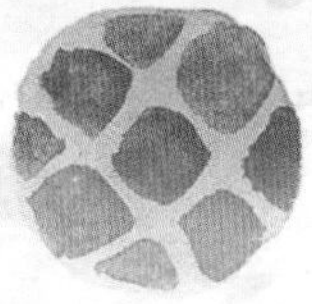

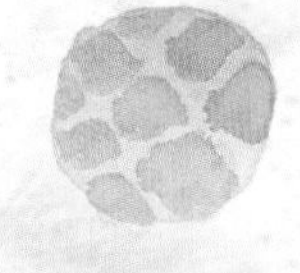

쿠키와 함께한 해피투게더

 쿠키플레이란?

Cookie+play가 결합된 용어로 교육, 상담, 놀이의 도구로서 쿠키를 사용하여 즐거운 놀이수업을 진행하는 것입니다. 쿠키를 다양하게 만들어 보고 표현해 봄으로써 집중력은 물론 감성과 창의력을 기를 수 있는 도구입니다.

목 적

1. 교육적 기능
   재미있는 요리 놀이를 통해 자발적이며 적극적인 참여와 물질의 변화에 관심을 갖고 경험의 세계를 통해 학습 효과를 높일 수 있다.

2. 진단의 기능
   쿠키플레이 전 과정을 통해 아이의 심리 상태와 자신의 정서를 반영하여 내면 세계와 아이의 외부세계를 분석할 수 있다.

3. 치료적 기능
   자신이 가진 문제와 불안 긴장을 해소하고 스스로 극복할 수 있으며 정화시켜 정서적 안정감을 갖게 해준다.

쿠키플레이 효과 및 장점

1. 요리 교육은 아이들에게 두뇌 발달에 아주 좋은 교육임은 물론이고, 창의력과 무엇보다도 먹어볼 수 있는 즐거움을 준다.

2. 오감 발달 증진프로그램으로서 어린아이들이 좋아하는 쿠키에 조형미술활동을 접목시킨 미술활동이다.

3. 입체물 완성 또는 조형물 완성을 통해 도형에 대한 응용 또는 구성능력을 발달시키며, 종합적 사고력 향상, 창의성 개발에 효과적인 놀이 프로그램이다.

4. 자유로운 컬러감 향상과 상상력을 증진 시킬 수 있는 장점을 가지고 있다.

5. 자기 표현이 서툰 아동에게는 내면의 심리를 표현하게 함으로써, 자아 표현을 확장시킬 수 있으며 집중력을 향상시킨다.

6. 아이들의 생각을 자유롭게 이끌어 내어 표현력을 증진시킨다.

7. 부모와 함께 쿠키를 만들게 함으로써 부모와의 관계를 친밀하게 유지시켜 주고, 친구와 함께 만들며 감정을 순화하여 정서발달에 도움이 된다.

8. 쿠키반죽으로 소근육 발달을 돕고 오븐에서 익어가는 과정도 보게 하는 과학적인 요리시간이며, 완성된 작품을 만들어 냄으로써 자신감과 성취감을 향상 시킬 수 있다.

영·유아 발달 향상

창의력 발달	신체조절능력	집중력 및 자신감 향상	정서적 안정 및 스트레스 해소
다양한 쿠키를 만드는 과정을 통하여 창의적 사고를 길러준다.	쿠키 볼을 만지는 손동작을 통해 눈과 손의 협응력 증진으로 신체조절 능력이 발달된다.	쿠키를 완성해가는 과정을 통해 집중력이 길러지고 성취감을 통해 자신감이 향상된다	자신을 자연스럽게 표현하는 동기부여가 되며 정서적으로 안정된 상태에서 스트레스 해소에 도움이 된다.

쿠키플레이를 통한 연령별 발달

만 2세

무엇을 만들어야 할지 말로 표현하기 어려운 아이들이 쿠키 볼을 주무르며, 자신의 생각을 자유롭게 표현하게 된다. 말로 표현하지 못하는 감정을 쿠키를 통해 표현함으로써 정서적인 안정감을 갖게 된다.

만 3세

만 3세 유아는 쿠키로 표현하는 것이 다양해 질수록 어휘적 표현이 증가하는 것을 볼 수 있으며, 상당한 집중력과 표현을 보여주고 있다. 쿠키를 만지는 손동작을 통해 눈과 손의 협응력과 신체 조절 능력이 능숙하게 발달된다.

만 4세

쿠키 조작을 통해 창의적 사고가 발달하고 독창적이고 우수한 사고가 가능하다. 또한 내면의 스트레스, 분노 등이 만들어가는 상상 속에서 본능을 해소한다. 교사가 시범을 보여준 모방을 통해 점진적으로 체계화가 된다는 점이다.

만 5세

각자 개인적 능력을 발휘하려는 의식을 갖고, 자신이 무엇을 만들고자 하는 목표성, 계획성이 형성되어가며, 자신이 만든 작품을 통해 구체적인 의사 표현을 할 수 있으며, 집중력과 관찰력의 향상을 기대해 볼 수 있다.

쿠키플레이의 점진적인 발달 단계

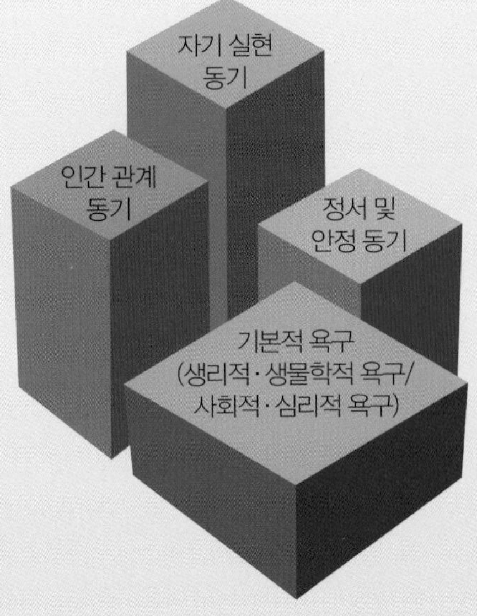

기본적인 욕구

1. 생리적 · 생물학적 욕구
   - 사회적 · 생물학적 존재로서의 인간이 개체의 생명을 유지하며 종족을 보존하기 위한 욕구로 다른 동물에서도 볼 수 있는 것이다. 즉, 음식, 물, 성, 공기, 온도, 휴식, 배설 등에 대한 욕구이다. 기본적 욕구 중에서도 가장 기본적인 1차적 욕구이며 이러한 욕구는 일반 사회생활에서 비교적 쉽게 충족할 수 있는 것으로 부적응의 원인이 되는 일은 별로 없다.

2. 사회적, 심리적 욕구
   - 사회적 존재로서 인간 특유의 욕구
     · 사람으로부터 사랑받고 싶은 애정의 욕구
     · 집단 속에서 어떤 위치를 차지해보고 싶은 소속의 욕구
     · 무엇인가 가치 있는 일을 해보고 싶은 성취의 욕구
     · 자신이 결정하고 그 결정에 대하여 책임을 져보고 싶은 독립의 욕구
     · 인정 또는 칭찬받고 싶은 사회적 승인의 욕구
     · 새로운 경험을 찾는 욕구
     · 우월감을 느껴보고 싶은 욕구
   - 이것들은 인간의 사회생활에서 행동을 결정하는 중요한 요소
   - 그 충족도 여하가 그 사람의 정신위생을 크게 좌우

1차 부모교육

쿠키플레이에 대한 이해

문자쿠키 (네임)를 만든 후 sharing (감정 표현)

문자쿠키 (네임)를 만든 후 sharing (감정 표현)

2차 부모교육

형상쿠키 (감정) 만들기

형상쿠키 (감정) 만든 후 sharing (감정 표현)

3차 가족프로그램

아이, 동물 그림으로 가족 표현

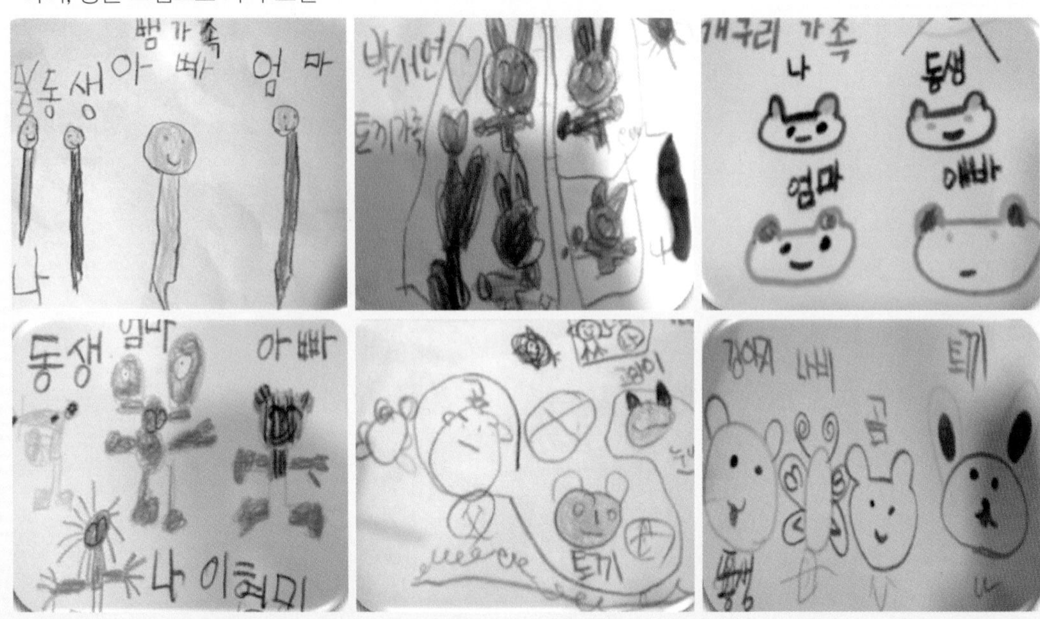

진민기
안서린
최주영

3차 가족프로그램

가족 표현 그림을 쿠키로 만든 후 구워서 완성

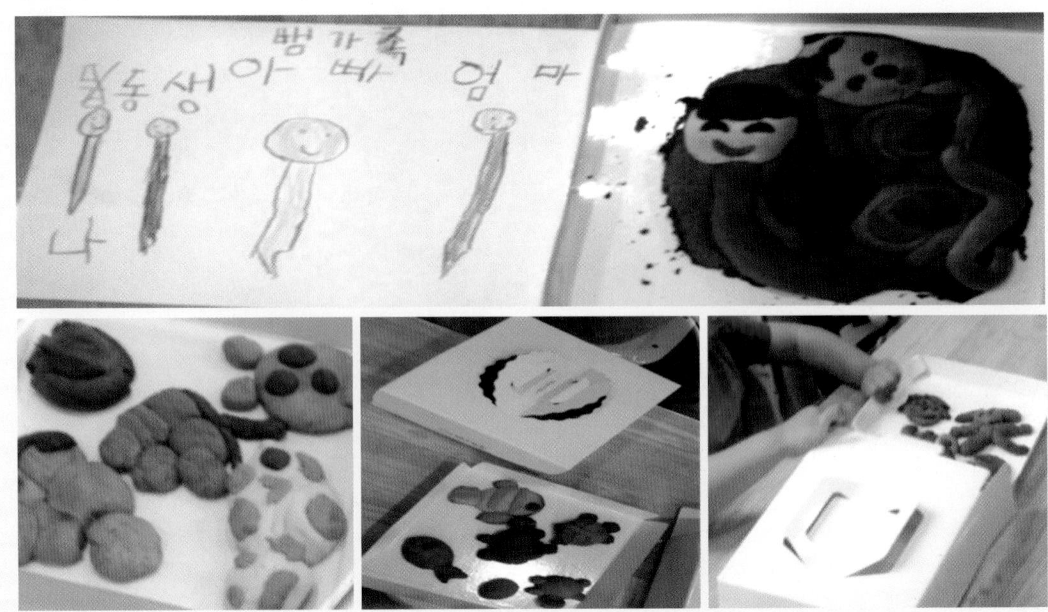

부모님 설문지

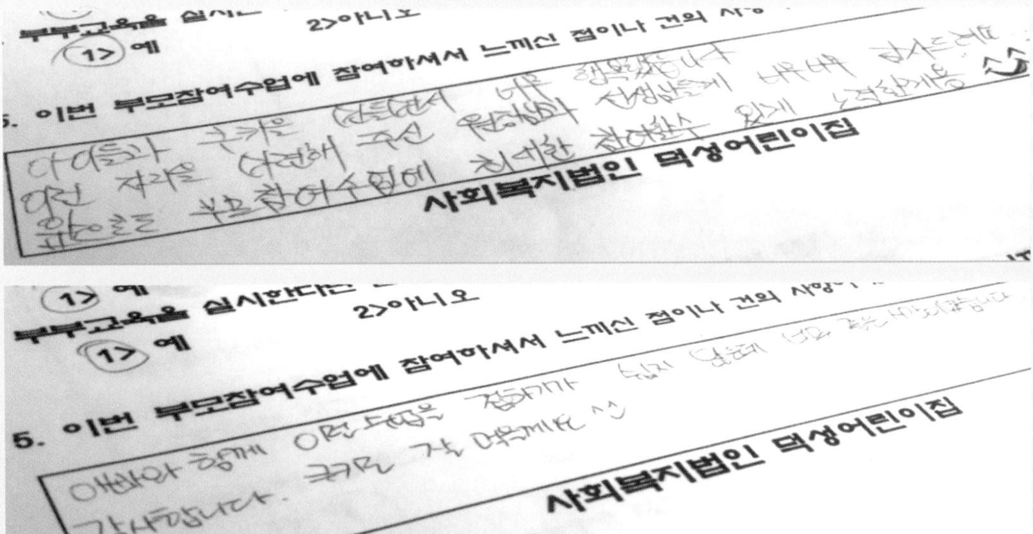

문자쿠키 (네임)

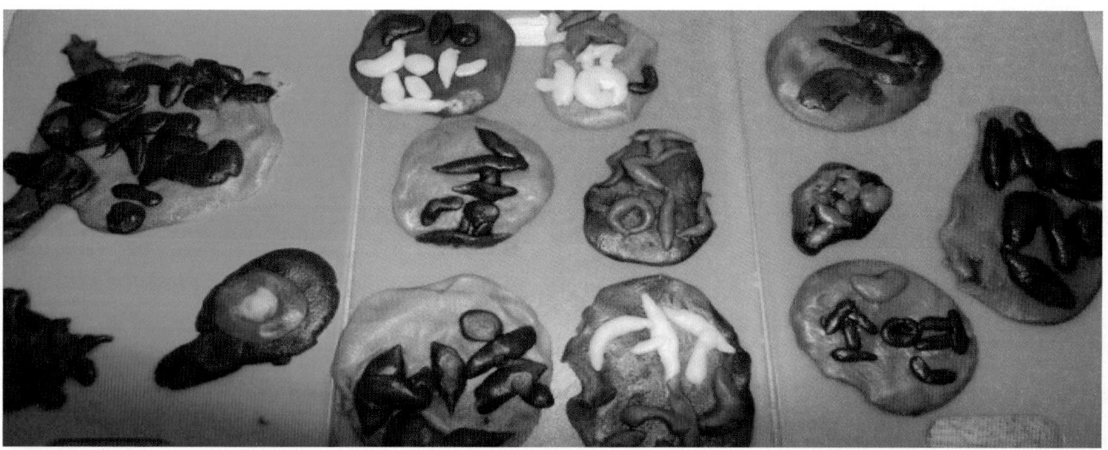

연간계획안

	만 3세	만 4세	만 5세		만 3세	만 4세	만 5세
3월	즐거운 어린이집 (모양찍기)	나를 소개합니다 (이름쿠키)	내 이름 꾸미기 (이름쿠키)	9월	여러 가지 탈 것 (모양쿠키)	우리나라 전통문양 (스텐실쿠키)	우리나라와 세계 여러나라국기 (스텐실쿠키)
4월	봄동물을 만나요 (모양찍기)	꽃이 활짝 피었습니다 (모양찍기)	행복한 우리가족 & 가족이 된것에 감사해요 (케이크토핑쿠키)	10월	나뭇잎의 색깔 자랑 (아이싱)	하나된 세계 (모양쿠키)	자랑스런 우리나라 (바탕쿠키)
5월	내 얼굴을 만들어요 (얼굴쿠키)	부모님 감사합니다 (스텐실쿠키)	공로패만들기 (메시지쿠키)	11월	여러 가지 감정 (감정쿠키)	씨앗들의 자기 자랑 (토핑쿠키)	가을 열매 표현하기 (토핑쿠키)
6월	행복한 우리집 (모양쿠키)	공놀이를 해요 (아이싱쿠키)	우리 동네 관공서만들기 (바탕쿠키)	12월	성탄 트리와 별 꾸미기 (스텐실)	크리스마스 장식쿠키 (아이싱쿠키)	크리스마스 카드쿠키 (아이싱쿠키)
7월	맛있는 여름 과일 (모양쿠키)	바다로떠나요 (바탕쿠키)	뿌리식물 쿠키만들기 (마블쿠키)	1월	이웃사랑 쿠키 (스텐실)	사랑과 감사 나눔쿠키 (스텐실)	이웃사랑 나눔쿠키 (마블쿠키)

수업 교육 계획안

활동명	분식가게놀이 (마블쿠키)	수업주차	6주차
활동 목표	• 우리동네에 있는 여러 기관에 대해 알아보고, 여러 가지 직업이 있음을 알 수 있다. • 쿠키를 만드는 동안 느낀 생각을 함께 나눠본다.		
준비물	생지, 도마, 오븐, 우리 동네 사진자료, 분식집 음식 종류 사진, 칼, 우리동네 노래		

활동내용	
도 입	T : 우리가 살고 있는 곳에는 여러 가지 기관들이 많이 있어요. 어린이집도 있고, 병원도 있고, 또 어떤 곳이 있었나요? C : 수퍼도 있고, 약국도 있고, 분식집도 있고… T : 분식집에 가 본 경험이 있나요? C : 네, 분식집에서 엄마랑 김밥도 먹고, 떡볶이도 먹고… T : 그렇다면 분식집에서 먹었던 김밥쿠키를 만들어 사랑하는 사람에게 대접 해 볼 거에요. 무슨 색의 김밥을 만들고 속은 무슨 색으로 어떻게 꾸밀 것인지 잘 생각하면서 함께 만들어 봅시다.
전 개	T : 여기 준비되어 있는 생지를 길고 넓게 펴서 김처럼 펼쳐 주세요. T : 김 안에 넣을 속을 무슨 색으로 만들지 생각하고 가늘고 기다란 줄로 길게 밀어 주세요. T: 김 모양의 생지 위에 속으로 만든 여러 가지 생지를 넣고 김밥처럼 돌돌 말아 주세요. T: 김밥을 자르듯이 빵 칼로 잘라 오븐에 구워 주세요. (쿠키를 만드는 동안 "우리동네" 노래를 틀어주고 감상하며 만들어 볼 수 있도록 준비한다.
마무리	(작품이 완성되면 오븐으로 굽고, 굽는 동안 자리를 정리한다.) (오븐으로 구운 쿠키가 나오면 하나씩 친구들에게 소개하며 이야기를 나누어 본다.) T : 쿠키를 만들면서 어떤 느낌과 생각이 들었는지? 누구와 함께 먹고 싶은지에 대해 말해보고, 여러 가지 직업의 다양함과 사랑하는 가족에 대한 소중한 마음을 함께 이야기를 나눈다. (이 김밥쿠키는 어떤 생각을 하며 만든 건가요? 왜 이렇게 만들었나요? 이 김밥을 누구와 함께 나눠 먹고 싶나요? 왜 함께 나누고 싶은가요?)

활동사진

활동사진

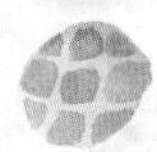

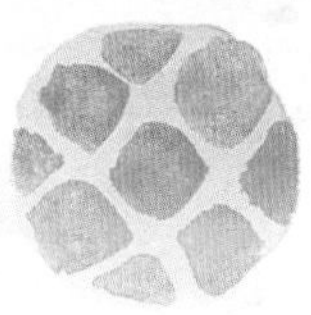

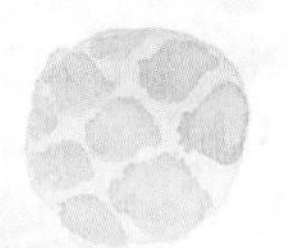

두드림 학교(쿠키플레이) 학습 코칭 맞춤형 지원 프로그램

- K초등학교 사례보고서 -

1. 쿠키플레이 상담 설계

학교 의뢰 > 상담 계획서 제출 > 강의시작 >

강의 완료 > 상담 보고서 제출 > 수퍼비전 완료 >

2. K초등학교 상담 개요

두드림 학교 학습 코칭 맞춤형 지원 프로그램							
회기	10회기	**정원**	12명	**참석인원**	11명	**지도자**	김영주
일시	2019년 6월 01일~9월 30일 월요일 13:50~15:30			**장소**	경기도 광명시 소재 K초등학교		
대상	2학년 6명, 3학년 5명, 4학년 1명(남학생 : 8명, 여학생 : 4명)						
활동목표	• 쿠키플레이를 도구로 학생과 소통하며 자신감을 향상하고, 긍정적인 마인드를 가질 수 있도록 동기를 부여한다. • 자신의 생각과 감정을 쿠키로 표현하고, 완성된 작품을 친구와 공유한다. • 나에 대해 발표하기, 작품과 소감을 이야기하기, 수업 후 친구들과 함께 정리하는 과정을 통해 사회성을 향상한다.						

3. 쿠키플레이 상담 계획

회기	주제	활동내용	기대효과	준비물
1회기	네임쿠키 (네임-문자)	• 쿠키반죽과 친해지도록 탐색해보고 만져본다. • 반죽으로 구슬을 만들어 네임쿠키 바탕을 꾸민다. • 이름 만들기: 나, 좋아하는 사람, 싫어하는 사람, 메시지	친밀감, 자기감정 인식, 감정의 순화, 흥미, 정서적 안정감	생지, 오븐, 유산지, 도마
2회기	동물가족 쿠키 (형상-동물)	• 가족 소개: 우리 가족은 누구, 누구일까요? • 가족 구성원과 닮은 동물 만들기, 그 이유를 이야기로 나누기 • 나와 닮은 동물 만들기, 그 이유를 이야기로 나누기	친밀감, 자기 감정 인식, 감정의 순화, 흥미, 정서적 안정감	생지, 오븐, 유산지, 도마
3회기	내가 좋아하는 것 (형상-사물)	• 난 ○○○을 좋아해요. • 내가 좋아하는 과일, 운동, 친구 얼굴 만들기 • 쿠키를 만든 후 이야기 나누기	친밀감, 자기감정 인식, 감정의 순화, 흥미, 성취감	생지, 오븐, 유산지, 도마
4회기	표정 쿠키 (형상-얼굴)	• 분기점으로 본 나의 표정 3가지 만들기, 나의 기분 이야기 나누기 • 색채검사지	친밀감, 자기감정 인식, 감정의 순화, 흥미, 정서적 안정감	생지, 오븐, 유산지, 도마
5회기	마블-몽당 연필 (추상-구체화 마블)	• 마블로 몽당연필 만들고 서로 나누어 갖기 • 나의 감정쿠키를 만들고 이야기 나누기	친밀감, 자기 감정 인식, 감정의 순화, 흥미, 성취감	생지, 오븐, 유산지, 도마

■ 각 회기에 쿠키를 만들고 오븐에 굽는 동안 할 수 있는 놀이 활동 준비
① 숨은그림 찾기 ② 틀린그림 찾기 ③ 미로 탈출 게임 ④ 색칠놀이 ⑤ 빙고게임

회기	주제	활동내용	기대효과	준비물
6회기	아저씨 우산 (형상–사물)	• 「아저씨 우산」 책을 읽고, 나, 비, 우산, 소중한 물건 만들기 • 우산을 대신하는 나의 소중한 물건 이야기 나누기	친밀감, 자기감정 인식, 감정의 순화, 흥미, 정서적 안정감	생지, 오븐, 유산지, 도마, 포장지, PPT, A4용지, 동화책
7회기	칭찬 메달 쿠키 (문자–메시지)	• 「나는 다른 동물이면 좋겠다」 책을 읽고, 메달쿠키 만들기 • 나를 칭찬하고 싶은 점, 엄마에게 듣고 싶은 칭찬, 선생님께 듣고 싶은 칭찬	친밀감, 자기 감정 인식, 감정의 순화, 흥미, 성취감	생지, 오븐, 유산지, 도마, 포장지, 빨대(大), 포장끈, 토핑
8회기	우리집CHTP (형상–사물)	• 집, 나무, 사람을 쿠키로 만들고 흰 종이 위에 배치하기 • 누구의 집, 어떤 나무, 사람에 대해 생각 나누기	친밀감, 자기감정 인식, 감정의 순화, 흥미, 정서적 안정감	생지, 오븐, 유산지, 도마, 포장지, PPT, A4용지
9회기	또래피자쿠키 (형상–응용/토핑)	• 내가 좋아하고 싫어하는 것을 토핑으로 만들어 피자에 올린다. • 친구들과의 협동심을 기르고 친구들의 기호도를 살펴볼 수 있다	친밀감, 자기감정 인식, 감정의 순화, 흥미, 성취감	생지, 오븐, 유산지, 도마, 토핑, 피자 상자
10회기	나만의 꿈동산 머핀 (형상–응용/아이싱)	• 꿈 쿠키 머핀 만들기(갖고 싶은 것, 하고 싶은 것, 가고 싶은 곳, 배우고 싶은 것) • 꿈 네 가지를 이야기하고 박스에 담아 가기	친밀감, 자기 감정 인식, 감정의 순화, 흥미, 성취감	생지, 오븐, 유산지, 도마, 머핀, 꼬지, 아이싱 재료, 상자, PPT

■ 각 회기에 쿠키를 만들고 오븐에 굽는 동안 할 수 있는 놀이 활동 준비

① 숨은그림 찾기 ② 틀린그림 찾기 ③ 미로 탈출 게임 ④ 색칠놀이 ⑤ 빙고게임

4. 프로그램 회차별 보고

1회기. 네임쿠키 (멋진 내 이름, 좋아하는 친구 이름 만들기)

- 오늘 하루 동안 기억에 남는 일은 무엇인가요?
- 한 주 동안 가장 기억에 남는 일은 무엇인가요?
- 오늘 하루 나의 기분은 어땠나요?
- 쿠키를 만들고 난 후 느낀 점?

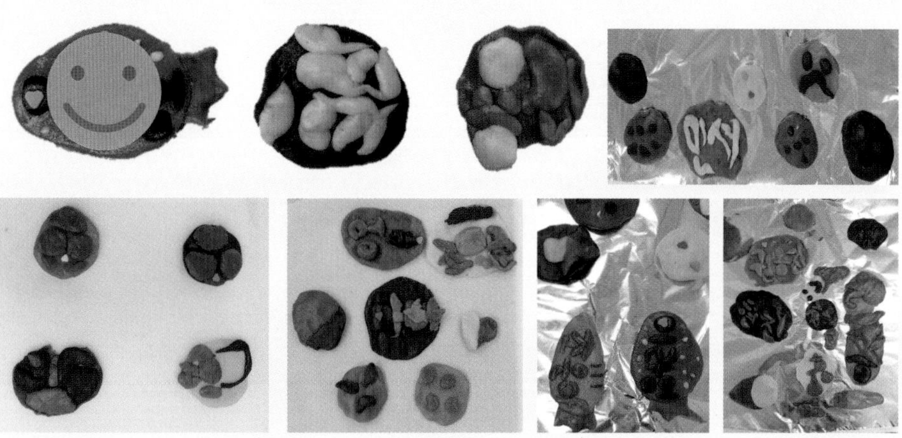

2회기. 동물가족쿠키 (가족과 닮은 동물쿠키 만들기)

3회기. 내가 좋아하는 것 만들기 (좋아하는 과일, 운동, 친구쿠키)

- 오늘 하루 동안 기억에 남는 일은 무엇인가요?
- 한 주 동안 가장 기억에 남는 일은 무엇인가요?
- 오늘 하루 나의 기분은 어땠나요?
- 쿠키를 만들고 난 후 느낀 점?

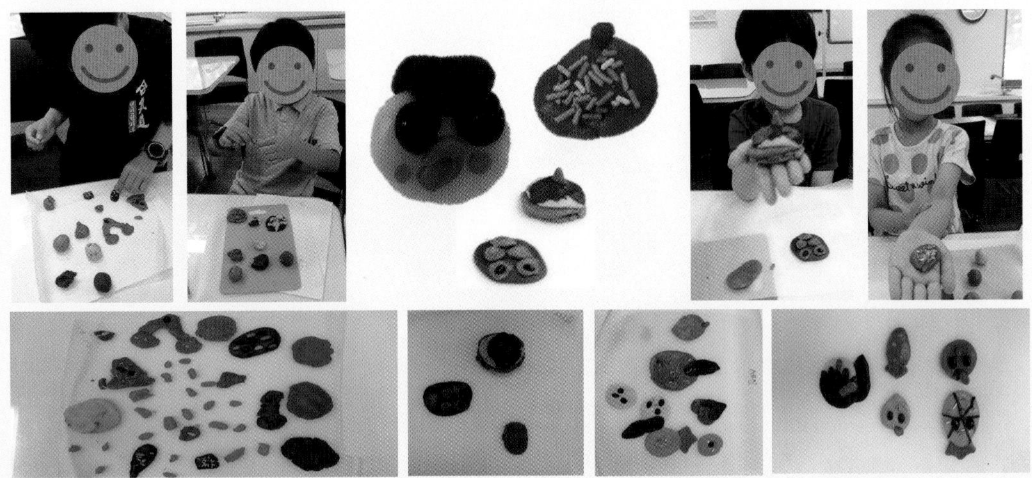

4회기. 표정 쿠키 (나의 세 가지 표정 만들기)

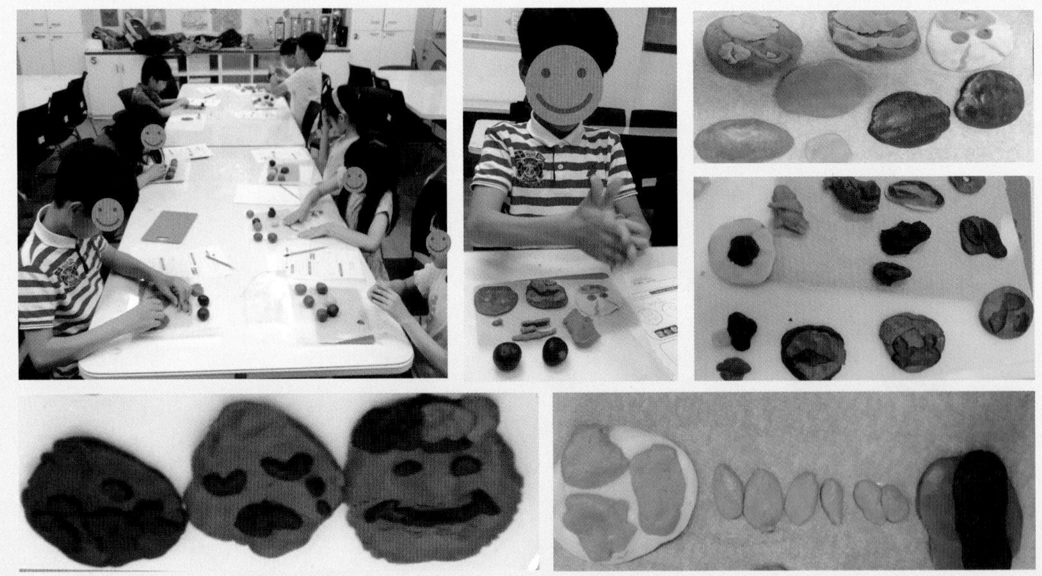

5회기. 마블쿠키 (몽당연필쿠키 만들기)

- 오늘 하루 동안 기억에 남는 일은 무엇인가요?
- 한 주 동안 가장 기억에 남는 일은 무엇인가요?
- 오늘 하루 나의 기분은 어땠나요?
- 쿠키를 만들고 난 후 느낀 점?

6회기. 아저씨와 우산 (빗속에 우산 든 사람 만들기)

7회기. 나는 다른 동물이면 좋겠다 (칭찬메달쿠키 만들기)

- 오늘 하루 동안 기억에 남는 일은 무엇인가요?
- 한 주 동안 가장 기억에 남는 일은 무엇인가요?
- 오늘 하루 나의 기분은 어땠나요?
- 쿠키를 만들고 난 후 느낀 점?

8회기. 우리집 CHTP (집, 사람, 나무 만들기)

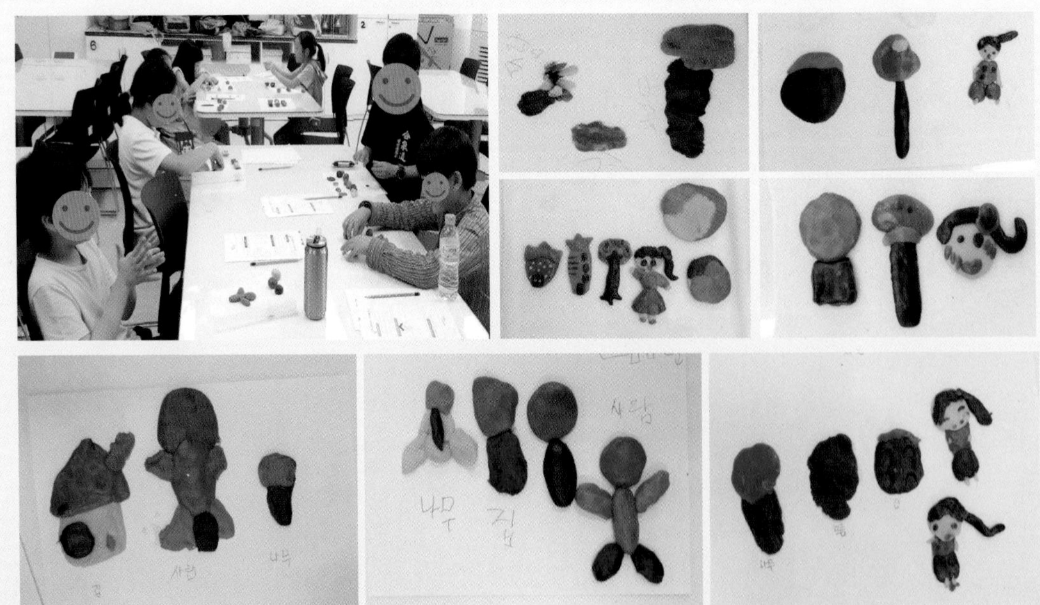

9회기. 또래피자쿠키 (협동피자쿠키 만들기)

- 오늘 하루 동안 기억에 남는 일은 무엇인가요?
- 한 주 동안 가장 기억에 남는 일은 무엇인가요?
- 오늘 하루 나의 기분은 어땠나요?
- 쿠키를 만들고 난 후 느낀 점?

10회기. 나만의 꿈동산 머핀 (머핀응용쿠키 만들기)

5. 학생별 보고서

이 책 본문에 표기된 학생 이름은 모두 가명이며, 이름에 *, **를 혼용하였습니다.

김미현(2학년)

회기	프로그램 활동 내용
1회기	자기소개 – 네임쿠키 만들기(내 이름, 친구 이름) **오늘 하루 동안 기억에 남는 일:** 좋았어요, **오늘 하루 기분:** 좋았어요, **한 주 동안 기억에 남는 일:** 쿠키, **오늘 쿠키 만들면서 느낀 점:** 공란 • 수업시간 참여 태도는 조용하고 말이 없고 새로운 선생님의 질문에 낯을 가림. • 좋아하는 친구 네임쿠키에 이영명 이라고 적음. 이름을 표현하는 세밀한 작업에 어려움을 느낌. 하지만 열심히 주어진 쿠키를 다 완성하였음.
2회기	가족소개 - 가족과 닮은 동물쿠키 만들기 • 하루의 기분과 기억에 남는 일은 쓰지 않으려고 해서 표정 스티커를 주었더니 웃는 표정을 골라서 붙임. 선생님의 질문에 간단하게 대답함. • 가족소개에 동생만 그림(토끼)으로 표현하고, 쿠키를 평면보다 입체적인 모양으로 만들기를 좋아함.
3회기	난 ㅇㅇㅇ을 좋아해요 - 과일, 운동, 친구 얼굴 만들기 **오늘 하루 동안 기억에 남는 일:** 좋았어요, **오늘 하루 기분:** 공란, **한 주 동안 기억에 남는 일:** 공란, **오늘 쿠키 만들면서 느낀 점:** 재미 있었어요. • 나는 과일을 좋아해요(사과, 포도), 나는 운동을 좋아해요(축구), 나는 친구가 좋아요(권정문), 작성하는 것을 조금 도와주니 잘 작성하였음. • 쿠키를 입체적으로 표현하고, 주제와 다른 쿠키였지만 꼼꼼히 만들어 완성함. • 친구들과의 대화에 소극적. 한 친구가 다른 친구를 놀리자 놀림 받는 친구를 위해 선생님께 상황을 말해주었음.
4회기	나의 세 가지 표정 만들기 **오늘 하루 기억에 남는 일:** 없어요, **오늘 하루 기분:** 좋았어요, **한 주 동안 기억에 남는 일:** 공란, **쿠키를 만들면서 느낀 점:** 김민서 형이 때릴 때 • 나의 표정 3가지: 표정 3가지를 모두 그렸음. • 쿠키로 표정을 1개 만들고, 달팽이 두 마리를 입체적으로 만듦, 더 만들어보라고 했지만 그만하고 싶다고 말함.
5회기	마블 입체 몽당연필쿠키 만들기 • 5회기에 참석하지 않았음.
6회기	아저씨와 우산 (그림책 읽고, 우산, 비, 사람 만들기) **오늘 하루 기억에 남는 일:** 없음, **오늘 나의 기분:** 좋음, **한 주 동안 기억에 남는 일:** 없음. • 빗속에 우산 든 사람을 약간 투박하지만 잘 완성했고, 여러 가지 색깔이 들어간 우산과 비를 만들었고 사람을 눈, 코, 입 없이 주황색으로 만듦. • 좋아하는 물건은 만들지 않아서 추가로 더 만들 수 있는지 물어봤으나 싫다고 했음. • 이전보다 많이 밝아지고 말도 많이 하고 대답할 때 말에 힘이 생김.

김미현(2학년)

회기	프로그램 활동 내용
7회기	칭찬 메달쿠키 만들기 **오늘 하루 기억에 남는 일:** 쿠키 만들기, **오늘 나의 기분:** 좋음, **한 주 동안 기억에 남는 일:** 없음, **오늘 쿠키 만들면서 느낀 점:** 없음. **나를 칭찬하고 싶은 말:** 없음, **엄마에게 해주고 싶은 말 :** 엄마 좋아 • 메달쿠키를 밝은 색깔을 섞어서 한 개만 크게 만듦. 더 만들어도 된다고 했지만 하지 않겠다고 말함. • 포장끈이 핑크, 빨강, 보라만 남게 되자 계속 회색 끈을 하고 싶다고 의사를 표현해서 줄을 짧게 묶어서 주고 사진 찍고 보냄(끈 색깔 때문에 기분이 좋지 않았다가 다시 좋아짐)
8회기	C-H-T-P (집, 나무, 사람 만들기) **오늘 하루 동안 기억에 남는 일:** 쿠키, **오늘 하루 기분:** 없음, **한 주 동안 기억에 남는 일:** 쿠키 만들기, **오늘 쿠키 만들면서 느낀 점:** 없음. • 사람, 집, 나무를 스케치했고 나무에 하트를 그림. 쿠키 반죽으로 풍선을 들고 있는 사람을 만들고 집과 나무는 사람보다 작게 만듦. • 친구와 장난치고 다투긴 했으나 쿠키 만들 때 웃으면 이야기도 했고, 행동이 활발해졌고 숨은그림 찾기도 같이했음. • 실내화 주머니를 으쓱대며 자랑했으나 영명이 화단에 버려서 속상해 하고, 미현이 엄마가 찾아 다녔음, 물병을 놓고 가서 보관하고 있음.
9회기	또래 피자 쿠키 만들기 **오늘 하루 동안 기억에 남는 일:** 쿠키, **오늘 기분:** 기쁨, **한 주 동안 기억에 남는 일:** 쿠키, **오늘 쿠키 만들면서 느낀 점:** 좋아요. 정문이와 영명이가 활동지 뒷면에 자신들 얼굴을 그리자 미현이도 활동지 뒷면에 얼굴을 그렸음. • 남가람과 2인 1조로 피자를 만들었고, 피자 도우용 쿠키 반죽을 두 손 가득 들고 색깔을 섞으면서 힘껏 뭉치고 펴기를 했으며, 토핑을 올려 꾸밀 때도 가람이를 도와주었음. 피자를 완성하고는 정문이, 영명이와 장난치기 바빴으나 피자가 다 익은 후 가람이와 도마를 부채처럼 이용해 식히기를 같이함. • 표정이 밝아지고, 미현이의 감정을 잘 표현하고 함께하는 활동도 잘함.
10회기	나만의 꿈동산머핀 만들기 **오늘 하루 동안 기억에 남는 일:** 쿠키, **오늘 하루 기분:** 이영명 때문에 그저 그럼, **한 주 동안 기억에 남는 일:** 쿠키 만들기, **오늘 쿠키 만들면서 느낀 점:** 적지 않음, 발표를 시켰으나 하고 싶지 않다고 해서 넘어감. **나의 꿈 표현하기:** 하고 싶은 것(쿠키), 갖고 싶은 것(적지 않음), 배우고 싶은 것(과학), 가고 싶은 곳(없음), 활동지 뒷면에 사람과 십자가, 등등 고리가 있는 그림을 그림(조정 문도 고리가 있는 그림을 그렸음). • 꿈동산에 꽃 모양을 만들 때 정문이가 하는 것을 보면서 별 모양과 작은 곰돌이 모양 찍기 틀을 사용해 여러 개 만들었고, 나무 꼬지를 꽂을 때 '선생님이 도와주세요'라고 도움을 청해서 도와주면서 같이 꽂았음. 아이싱 색깔에 흥미를 보이며 쿠키 위에 색칠해보고 머핀에 잘 꽂아서 작품을 완성했음 • 꿈동산머핀을 들고 사진찍기도 응해주었고, 영명이와 함께 놀고 싶어서 계속 장난을 침, 김준우 형이 영명이를 나무라자 '형이 대장이야'라고 물어보며 영명이 편을 들어 주었음.

김미현(2학년)　시각 색채 일치성 심리 검사

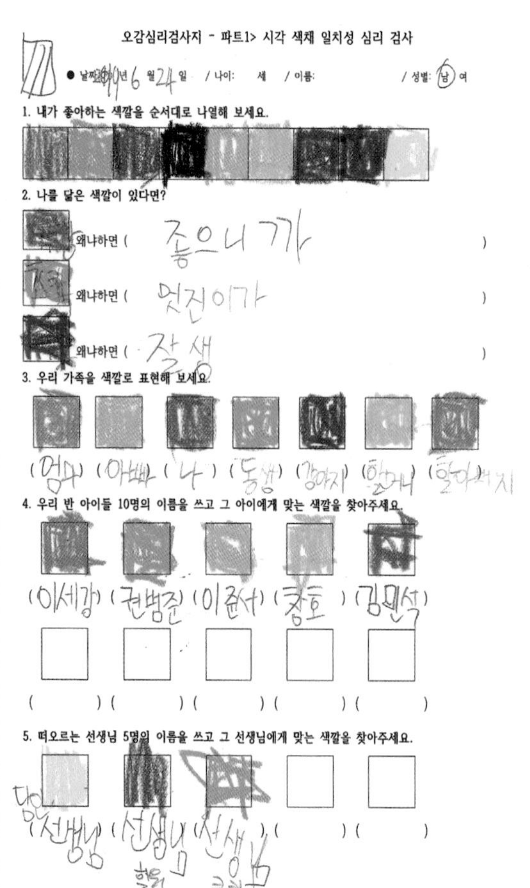

오감심리검사지 - 파트1> 시각 색채 일치성 심리 검사

● 날짜: 년 6 월 24 일 / 나이: 세 / 이름: / 성별: 남 여

1. 내가 좋아하는 색깔을 순서대로 나열해 보세요.

2. 나를 닮은 색깔이 있다면?

왜냐하면 (좋으니까)

왜냐하면 (멋진이가)

왜냐하면 (잘생)

3. 우리 가족을 색깔로 표현해 보세요.

(엄마) (아빠) (나) (동생) (강아지) (할머니) (할아버지)

4. 우리 반 아이들 10명의 이름을 쓰고 그 아이에게 맞는 색깔을 찾아주세요.

(이세강) (권범준) (이준서) (종호) (김민석)

( ) ( ) ( ) ( ) ( )

5. 떠오르는 선생님 5명의 이름을 쓰고 그 선생님에게 맞는 색깔을 찾아주세요.

(담임 선생님) (선생님 학원) (선생님 쿠키) ( ) ( )

1) 내가 좋아하는 색깔 순서
파란색, 초록색, 빨간색, 검정색, 하늘색… 대부분 진하고 차가운 계통의 색깔을 표현한 것으로 보아 남성적이며 과감하고 추진력 있어 보임. 칸을 꼼꼼히 채워서 성실할 것으로 보임.

2) 나를 닮은 색깔이 있다면?
1번의 좋아하는 색깔에서 첫번째부터 세번째까지의 색채가 일치하는 것으로 보아 자아 존중감이 높은 것으로 보이며, 이유도 긍정적인 내용으로 작성하였음.

3) 가족 색깔
가족 중 엄마를 분홍색으로 표현하여 여성성을 나타낸 것인지 질문할 필요가 있었으나 물어보지 못함.

4) 반 친구들 색깔
친구들 칸을 다 채우지 않고 5명만 채운 것으로 보아 원리원칙적인 면도 있어 보임.

5) 선생님 색깔
쿠키선생님을 초록색으로 표현하였고 담임선생님과 학원선생님을 좋아하는 색깔 순서에서 뒤쪽에 배열한 색깔로 표현한 것과 칸을 다 채우지 않은 것으로 보아 선생님들과의 관계도 더 알아볼 필요가 있어 보임. 집중력이 낮고 산만할 것으로 보임.

수퍼바이저
초기의 작품을 보면 그 형태가 잘 표현되지 않음을 볼 수 있습니다. 본인 이름의 표현에도 자신감이 부족한 것으로 보입니다. 내면의 상태가 불안과 소극적인 부분이 있으나 점차 횟수를 더 하면서 표현이 나아지고 있음이 보입니다.

5. 학생별 보고서

이영명(2학년)

회기	프로그램 활동 내용
1회기	자기소개 – 네임쿠키 만들기(내 이름, 친구 이름) 오늘 하루 동안 기억에 남는 일: 좋았어요, 오늘 하루 기분: 좋았어요, 한 주 동안 기억에 남는 일: 쿠키, 오늘 쿠키 만들면서 느낀 점: 공란 • 첫 시간 4학년 형과 장난을 짓궂게 치고, 수업시간내 집중하지 못하고 큰소리로 발표하는 것을 좋아함. • 자꾸 장난치려는 학생과 분리시켜 자리를 배정함. • 본인의 네임쿠키를 크게 잘 완성함.
2회기	가족소개 - 가족과 닮은 동물쿠키 만들기 • 내 가족과 닮은 동물: 아빠(사자), 엄마(호랑이), 나(개), 동생(고양이) • 매우 활동적이고 수업시간에 연필 나눠주기 등 도움을 요청하면 잘 따라주고 칭찬받는 것을 매우 좋아함. 칭찬을 듣고 활동 범위도 줄어 들었음. • 가족을 닮은 동물쿠키를 잘 표현함. • 수업 중간에 주의 집중하여 행동하는 것을 칭찬하니 친구들과 대화하는 것도 차분해졌음.
3회기	난 ○○○을 좋아해요 - 과일, 운동, 친구 얼굴 만들기 오늘 하루 동안 기억에 남는 일: 모름, 오늘 하루 기분: 좋음, 한 주 동안 기억에 남는 일: 모름, 오늘 쿠키 만들면서 느낀 점: 재밌습니다. • 나는 과일을 좋아해요(사과), 나는 운동을 좋아해요(축구), 나는 친구가 좋아요(모름). • 쿠키를 만들 때 작은 것을 잘 표현하고 많은 양의 쿠키를 끝까지 집중해서 만들고 구워진 쿠키를 맛보며 좋아함. • 도움 요청 받는 것을 매우 즐거워하고 친구들과 즐겁게 어울림. • 칭찬하면 할수록 쿠키수업 참여도가 좋아짐.
4회기	나의 세 가지 표정 만들기 오늘 하루 동안 & 한 주 동안 기억에 남는 일: 없음. 오늘 나의 기분은: 좋음, 쿠키를 만들면서 느낀 점: 좋음, 학교 갈 때: 슬픔, 학원 갈 때: 좋음, 공부할 때: 싫음, • 표정을 초록색과 파란색으로 표현함. • 자유롭게 만들 때 당근을 꼭 만들고, 작게 여러 개를 만드는 편임. • 시각 색채 일치성 심리 검사지를 대충대충 작성함 • 산만하고 말을 많이 하는 편, 정문이와 장난하는 것을 좋아함 • 쿠키 포장 후, 뒷정리 중 도마를 씻어 달라고 도움을 청하니 정문이와 열심히 도와주었음.
5회기	마블 입체 몽당연필쿠키 만들기 • 5회기에 참석하지 않았음.
6회기	아저씨와 우산 (그림책 읽고, 우산, 비, 사람 만들기) 오늘 하루 기억에 남는 일: 모름, 오늘 나의 기분: 좋음, 한 주 동안 기억에 남는 일: 모름. • 사람을 주황색으로 아주 작게 만들고 중요 부위를 만들었다고 이야기하며 좋아함, 초록색 • 우산과 비는 사람 아래에 파란색으로 한 덩이를 만들었고, 전체적으로 아주 작게 만듦. • 제시된 주제에 맞게 쿠키를 만든 후 항상 당근을 작게 여러 개 만들고 좋아함. • 숨은그림 찾기 활동을 하고 싶다고 다음 시간에 하자고 요청함.

이영명(2학년)

회기	프로그램 활동 내용
7회기	칭찬 메달쿠키 만들기 오늘 하루 기억에 남는 일: 쿠키 만들기, 오늘 나의 기분: 좋음, 한 주 동안 기억에 남는 일 : 쿠키, 오늘 쿠키 만들면서 느낀 점: 좋음. 나를 칭찬하고 싶은 말: 잘했어, 엄마에게 해주고 싶은 말 : 핸드폰 사줄게, 선생님에게 듣고 싶은 칭찬의 말 : 잘했어 • 별 모양 메달쿠키를 만들고 당근 2개 만듦. • 쿠키를 다 만들고 굽는 동안 미현, 정문 등 남자아이들과 함께 숨은그림찾기를 하고 빨강 끈을 이용해 메달을 완성하고 사진도 찍었음. • 친구들 활동지를 모아오라고 도움을 청하니 잘 도와주었음.
8회기	C-H-T-P (집, 나무, 사람 만들기) 오늘 하루 동안 기억에 남는 일: 쿠키, 오늘 하루 기분: 좋음, 한 주 동안 기억에 남는 일: 축구, 오늘 쿠키 만들면서 느낀 점: 좋음. • 나무는 크고 굵게 모양을 갖추어 만들었고, 집은 지붕이 크고 아래는 작게 만듦. 작고, 형체를 알 수 없는 모양을 만들어서 이게 사람이냐고 물으니 사람이라고 대답함 • 조금 산만한 편이나, 쿠키 만들기와 숨은그림 찾기 활동을 좋아함.
9회기	또래 피자 쿠키 만들기 오늘 하루 동안 기억에 남는 일: 쿠키, 오늘 기분: 좋음, 한 주 동안 기억에 남는 일: 축구, 오늘 쿠키 만들면서 느낀 점: 모름. • 친구와 한 조가 되어 피자의 도우를 만들고 토핑을 조화롭게 많이 얹어 피자 쿠키를 완성하였고, 굽고 나서 상자에 잘 포장하였음.
10회기	나만의 꿈동산머핀 만들기 오늘 하루 기억에 남는 일: 친구들 놀라게 한 것, 오늘 나의 기분: 좋음, 한 주 동안 기억에 남는 일: 친구들 놀라게 한 것. 나의 꿈 표현하기: 하고 싶은 것(게임), 갖고 싶은 것(핸드폰), 배우고 싶은 것(드럼), 가고 싶은 곳(우주) • 당근, 곰, 별, 동그란 모양을 만들고 꼬치를 꽂아 구운 후 아이싱으로 색깔을 칠해보고 머핀에 꽂아 '꿈동산 머핀'을 완성함. 상자에 넣어 포장함. • 친구들과 장난치는 걸 좋아하고, 두꺼비와 꽃게 이야기의 정답을 맞히고 뿌듯해 함.

이영명(2학년) 시각 색채 일치성 심리 검사

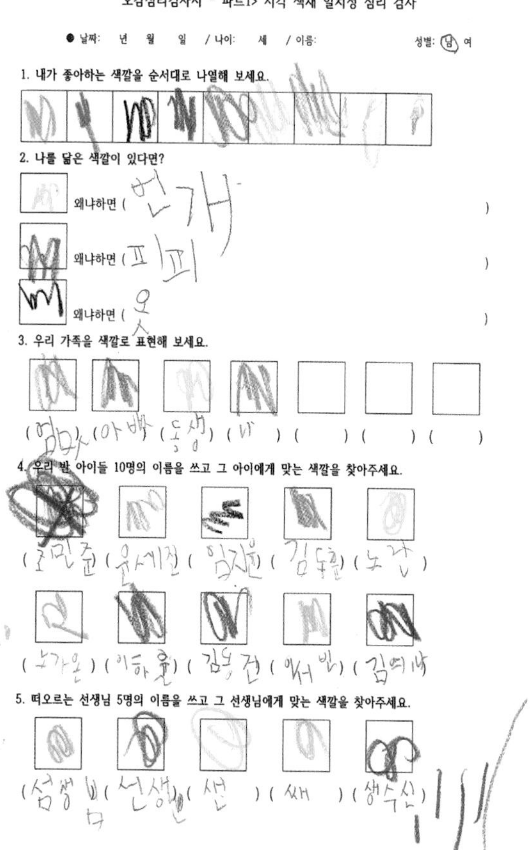

오감심리검사지 - 파트1> 시각 색채 일치성 심리 검사

● 날짜: 년 월 일 / 나이: 세 / 이름: 성별: 남 여

1. 내가 좋아하는 색깔을 순서대로 나열해 보세요.

2. 나를 닮은 색깔이 있다면?

왜냐하면 (번개)

왜냐하면 (피)

왜냐하면 (옷)

3. 우리 가족을 색깔로 표현해 보세요.

(엄마) (아빠) (동생) (나) ( ) ( ) ( )

4. 우리 반 아이들 10명의 이름을 쓰고 그 아이에게 맞는 색깔을 찾아주세요.

5. 떠오르는 선생님 5명의 이름을 쓰고 그 선생님에게 맞는 색깔을 찾아주세요.

1) 내가 좋아하는 색깔 순서

색깔을 조금씩만 칠한 것으로 보아 성격이 급하고 산만해 보임. 네모 칸 밖으로 색을 칠해서 공격성도 있어 보이며 불안해 보임.

2) 나를 닮은 색깔이 있다면?

노란색(번개), 빨간색(피), 검정색(옷)으로 표현하여 문장의 의미 파악이 어렵거나 단순함도 존재하는 것으로 보이며 내가 좋아하는 색 중 세번째부터 색깔을 선택한 것으로 보아 자아존중감이 낮을 수도 있어 보임.

3) 가족 색깔

나를 2번과 다른 주황색으로 표현하였고 동생과 엄마는 1번에서 뒤쪽에 배열된 색깔을 선택한 이유를 질문해서 아이의 마음을 알아볼 수 있는 기회를 놓친 것 같아 아쉬움.

4) 반 친구들 색깔

친구 칸을 모두 채워 본인은 친구들에 대한 어려움은 없어 보이나, 색칠을 상하, 좌우로 대충대충 칠한 것으로 보아 산만하고 제멋대로 하는 행동으로 친구들이 관계를 어려워 할 수 있음.

5) 선생님 색깔

선생님 이름을 제대로 작성하지 못한 것으로 보아 질문에 대한 이해도가 낮고, 성실성이 부족할 수도 있을 것으로 보임. 다섯번째 칸 옆 지면에 빨간색으로 직선을 그은 것으로 보아 집중력이 낮고 산만할 것으로 보임.

수퍼바이저

- 작품을 작게 많이 만드는 것을 주기적으로 반복함.
- 색채에서도 빈칸 채우는 성향이 집중력의 부족함을 보여주고 다양한 호기심을 가지고 있음을 보여줌.
- 작품에서 불안함을 보이는 곳이 보여짐. 불안으로 인한 산만함.
- 행동과잉으로 갈 수도 있을 것으로 예측이 됨.
- 불안감에 대해 깊이 있는 접근이 필요함.

5. 학생별 보고서

최미림(3학년)

회기	프로그램 활동 내용
1회기	자기소개 – 네임쿠키 만들기(내 이름, 친구 이름) **오늘 하루 동안 기억에 남는 일:** 공개수업, **오늘 하루 기분:** 좋음, **한 주 동안 기억에 남는 일:** 없음, **오늘 쿠키 만들면서 느낀 점:** 공란 • 활동시간 내 조용하고 차분하게 참여하고, 같은반 친구(권*진)를 좋아한다고 표현함. • 표현력이 서툴지만, 주제에 맞는 네임쿠키를 잘 완성함.
2회기	가족소개 – 가족과 닮은 동물쿠키 만들기 **오늘 하루 동안 기억에 남는 일:** 수학시간, **오늘 하루 기분:** 좋음 **한 주 동안 기억에 남는 일:** 공란, **오늘 쿠키 만들면서 느낀 점:** 재밌음, **내 가족과 닮은 동물:** 아빠(호랑이), 엄마(젖소), 동생(말) • 쿠키를 잘 완성하였고 친구들과 별다른 마찰 없이 조용함. • 선생님 질문에 답변을 잘함.
3회기	**난 ○○○을 좋아해요** – 과일, 운동, 친구 얼굴 만들기 – 3차시에 참석하지 않았음.
4회기	**나의 세 가지 표정 만들기** – 4차시에 참석하지 않았음.
5회기	**마블 입체 몽당연필쿠키 만들기** – 5회기에 참석하지 않았음.
6회기	아저씨와 우산 (그림책 읽고, 우산, 비, 사람 만들기) **오늘 하루 기억에 남는 일:** 수영장 간 일, **오늘 나의 기분:** 좋음, **한 주 동안 기억에 남는 일:** 핸드폰 게임 • 사람의 팔, 다리, 눈, 코, 입을 잘 완성하였으며, 우산은 작게 만들고 빗방울이 굵고 우산 아래까지 내려오게 만들어서 스트레스는 많으나 그에 대한 방어력은 약하게 보여짐. 사람의 표정이 미림이 평소 표정과 비슷함. • 추가로 당근과 아이스크림 모양을 만들었음. • 친구가 생일파티에 초대하지 않아서 갈 생각을 못했으나, *재가 같이 가자고 하니 기분이 좋아짐.
7회기	**칭찬 메달쿠키 만들기** – 7회기에 참석하지 않았음.
8회기	**C-H-T-P** (집, 나무, 사람 만들기) – 8회기에 참석하지 않았음.
9회기	또래 피자 쿠키 만들기 **오늘 하루 동안 기억에 남는 일:** 게임, **오늘 기분:** 걱정, **한 주 동안 기억에 남는 일:** 야구 한 것, **오늘 쿠키 만들면서 느낀 점:** 재미있어 졌다. • 이*재와 한 조가 되어 피자를 만들 때 *재의 눈치를 보며 적극적으로 만들지 못함. 미림이도 같이 만들도록 *재를 제재하자 미림이가 이것저것 토핑을 올리고 꾸미며 함께하니 좋아했고, 활발하게 활동함.
10회기	나만의 꿈동산머핀 만들기 **오늘 하루 동안 기억에 남는 일:** 얼음 설탕, **오늘 하루 기분:** 좋음, **한 주 동안 기억에 남는 일:** 게임 **나의 꿈 표현하기:** 하고 싶은 것(게임), 갖고 싶은 것(갤럭시 빠이드저), 배우고 싶은 것(게임), 가고 싶은 곳(PC방) • *재와 *규가 함께 앉아서 쿠키를 만들었고, 미림이가 공부를 못한다고 놀리고 쿠키 만드는 동안 자꾸 참견해서 미림이가 위축되어 보임. 쿠키를 잘 만들려고 애썼고, 찍기 틀로 하트를 4개 완성하여 굽고 아이싱으로 색깔도 칠해서 보여주고 사진도 찍음. 색채검사지도 바르게 앉아 작성함.

최미림(3학년) 시각 색채 일치성 심리 검사

시각 색채 일치성

● 날짜: 년 월 일 / 나이: 세 / 이름: / 성별: 남 여

1. 내가 좋아하는 색깔을 순서대로 나열해 보세요.

2. 나를 닮은 색깔이 있다면?

왜냐하면 (돼지이기 때문입니다)

왜냐하면 ( )

왜냐하면 ( )

3. 우리 가족을 색깔로 표현해 보세요.

(아빠) (엄마) (동생) ( ) ( ) ( ) ( )

4. 우리 반 아이들 10명의 이름을 쓰고 그 아이에게 맞는 색깔을 찾아주세요.

(민규) (승재) ( ) ( ) ( )

( ) ( ) ( ) ( ) ( )

5. 떠오르는 선생님 5명의 이름을 쓰고 그 선생님에게 맞는 색깔을 찾아주세요.

(우리 선생님) ( ) ( ) ( ) ( )

1) 내가 좋아하는 색깔 순서

빨간색, 초록색, 분홍색으로 세 칸만 채워 과제 수행력이 낮아 보이나, 색깔을 칠한 상태는 꼼꼼하게 칠해서 편집증적인 면이 있어 보임. 귀찮아서 하기 싫어했으나 다독여서 해보라고 하니 하는 것으로 보아, 성실히 해낼 수 있는 잠재력은 있어 보여 도움이 필요해 보임.

2) 나를 닮은 색깔이 있다면?

1번의 세번째 색깔인 분홍색을 본인 닮은 색깔로 선택했고 돼지이기 때문이라는 이유를 적은 것으로 보아 자아존중감이 낮을 수 있음.

3) 가족 색깔

아빠, 엄마, 동생에 대한 색깔을 1번 색깔에 없는 색을 선택하여 가족관계의 어려움을 느낄 수 있으며, 특히 엄마를 검정색 세로줄 3개로 표현한 것으로 보아 애착이 부족하고 불안정해 보임.

4) 반 친구들 색깔

두 명만 표현하여 친구 관계에 어려움이 있어 보임.

5) 선생님 색깔

한 명만 검정색으로 표현하여 선생님과의 관계가 어려워 보임. 선생님께 의지하지 못하고 소외되어 보임.

전체적으로 빈칸이 많아 무기력감이 있어 보이며 자존감이 낮고 인간관계에서 주눅들어 있고 소외되어 보임.
가족이나 선생님의 보살핌이 부족해 보이며 친구 관계도 어려워 보이므로 지속적인 쿠키플레이 프로그램 참여로 회복의 기회를 주어야 할 것으로 보임.

수퍼바이저

자존감이 상당히 낮은 학생으로 보입니다. 특히 관계에 있어서 형성이 잘 안된 학생으로 보이며 엄마의 관계에서 특이한 부분이 있는 것으로 유추되어 이 부분은 추후 상담에서 꼭 이야기를 나누어야 할 것으로 보입니다.

5. 학생별 보고서

김준우(4학년)

회기	프로그램 활동 내용
1회기	자기소개 - 네임쿠키 만들기(내 이름, 친구 이름) **오늘 하루 동안 기억에 남는 일**: 츄러스 틀어졌다, **오늘 하루 기분**: 윤미호 때문에 가져와야 함, **오늘 쿠키 만들면서 느낀 점**: 쿠키플레이가 재미있다. • 활동성이 많고 3학년 동생과 장난을 치고, 동생이 장난치는 것이 싫다고 몸으로 표현함. • 선생님의 집중적인 도움이 필요하지만, 설명을 잘 이해하고 네임쿠키도 잘 완성함. 쿠키 굽는 동안 숨은그림 찾기를 하는데 다른 친구들보다 집중하는 모습을 보임. 선생님의 단호한 지도가 필요하고 친구들의 장난이 없을 때는 수업에 잘 참여함.
2회기	가족소개 - 가족과 닮은 동물쿠키 만들기 **오늘 하루 기억에 남는 일**: 쿠키플레이, **오늘 나의 기분**: 화가 난다, **한 주 동안 기억에 남는 일**: 괴롭히지 못한 일, **쿠키 만들면서 느낀 점**: 공란 • 수업 관련 도움을 요청하면 잘 도와주고 친구들이 장난치는 것에 대해 싫다고 자기표현이 정확하고 혼잣말을 많이 함 • 설명에 대한 이해가 빠르나 선생님의 집중 지도가 필요함. • 주제에 맞게 쿠키를 잘 만들어 완성했고, 본인의 쿠키를 찾으려는 강한 집착을 보임. (비슷한 쿠키 모양을 만든 친구와 서로 자기 것이라며 언쟁함) • 쿠키를 굽는 동안 숨은그림 찾기를 집중해서 끝까지 잘 찾았음
3회기	난 ○○○을 좋아해요 - 과일, 운동, 친구 얼굴 만들기 • 3차시 수업에 참여하지 않음.(도서관에 감)
4회기	나의 세 가지 표정 만들기 오늘 하루 기억에 남는 일을 '복수의 생각'으로 표현함. 활동지에 화났을 때, 기쁠 때, 놀란 표정을 잘 표현하였고, 쿠키는 주황, 보라, 미색을 사용하여 세 가지 표정을 잘 완성함. • 이야기를 나눌 때 다른 친구나 선생님이 말하는 것은 듣지 않고, 산만하게 혼잣말을 끊임없이 하지만, 쿠키 만들 때는 집중을 잘하는 편임. • 쿠키 구울 때 도움을 청하면 잘 도와줌. 선생님 외모에 관심을 나타냄. 시각 색채 일치성 심리 검사지를 꼼꼼하게 빈칸 없이 다 채워서 작성함. 자연과 따뜻한 것을 좋아하고, 남자를 파란색, 여자는 분홍색으로 색칠함. 준우는 닮은 색깔은 사람이라서 살색, 자연 같아서 초록색, 추울 때 따뜻해서 빨간색으로 색칠함.
5회기	마블 입체 몽당연필쿠키 만들기 오늘 하루 기억에 남는 일을 '이영명 추격하는 일'로 표현함 • 마블쿠키로 몽당연필을 큼직하게 만들었고, 보조 선생님에게 도움을 청하고 이야기도 하며 빠르게 완성함. • 쿠키 구울 때 냄새가 좋고, 쿠키가 잘 구워지는지 지켜 보겠다고 오븐을 들여다보며 오븐 앞을 지키고 있었음. • 이영명에 대해 복수하겠다고 반복적으로 혼잣말을 계속함.
6회기	아저씨와 우산 (그림책 읽고, 우산, 비, 사람 만들기) - 6차시에 참석하지 않음
7회기	칭찬 메달쿠키 만들기 - 7차시에 참석하지 않음
8회기	C-H-T-P (집, 나무, 사람 만들기) - 8차시에 참석하지 않음

9회기

또래 피자 쿠키 만들기

오늘 하루 동안 기억에 남는 일: 쿠키를 만드는 일, **오늘 기분:** 아주 좋다, **한 주 동안 기억에 남는 일:** 피자쿠키를 만드는 것, **쿠키 만들면서 느낀 점:** 선생님이 나의 쿠키가 맛있다고 하신 것.

- 도서관에 갔다가 조금 늦게 참여해서 민서는 피자 한 판을 혼자 만들었으나, 제일 먼저 완성했고 동그란 쿠키를 여러 개 추가로 만들었음
- 쿠키 중 하나를 나에게 먹어보라고 주면서 냄새는 어떤지? 맛은 어떤지? 궁금해하고, "따뜻하고 맛있고 쿠키를 선생님에게 줘서 너무 고맙다"고 말하니 웃으며 자리에 앉음
- 5차시 이후로 참석하지 못해서 걱정스러웠으나, 차분하게 피자쿠키 만들기에 집중도 잘했고, 혼잣말도 줄어들어 기분과 감정 상태가 안정되어 보임

10회기

나만의 꿈동산머핀 만들기

오늘 하루 동안 기억에 남는 일: 쿠키 만들기, **오늘 하루 기분:** 이영명 때문에 화가 났다,

쿠키 만들면서 느낀 점: 그럭저럭 재미있다.

나의 꿈 표현하기(로봇연구원): 하고 싶은 것(로봇 만들기), 갖고 싶은 것(패럿맘보), 배우고 싶은 것(로봇), 가고 싶은 곳(직업체험관)

- 지난주 피자쿠키를 엄마, 아빠, 선생님과 함께 맛있게 먹었다고 함.
- 나에게 쿠키 맛이 어땠는지 다시 물어봐서 "따뜻하고 정말 맛있었다"고 말하니 고개를 끄덕이며 미소를 지었음.
- 찍기 틀을 이용해서 별 모양을 여러 가지 색으로 6개 만들어 구운 후, 아이싱으로 색깔을 찍어 꾸몄고, 머핀에 꽂아 완성함.
- 활동지를 작성하라고 여러 번 말했지만 하지 않고 집으로 가겠다고 해서, 활동지를 다 작성해 야만 집에 갈 수 있다고 말하니 화를 내고 짜증난다고 신경질적으로 말했으나 "준우가 활동지에 내용을 안 적어서, 선생님이 하고 가라고 한거잖아~'라고 타이르니 조용히 앉아 잘 작성하고 인사하고 귀가함.

김준우(4학년) 시각 색채 일치성 심리 검사

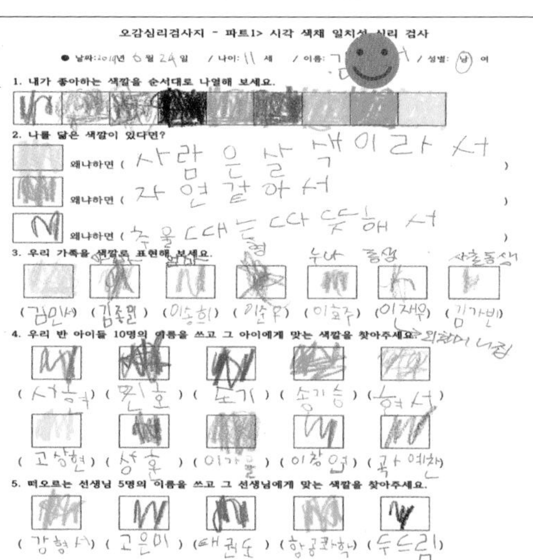

오감심리검사지 - 파트1> 시각 색채 일치성 심리 검사

● 날짜: 2014년 6월 24일 / 나이: 11 세 / 이름: / 성별: (남) 여

1. 내가 좋아하는 색깔을 순서대로 나열해 보세요.

2. 나를 닮은 색깔이 있다면?

왜냐하면 (사람은 살색이라서)

왜냐하면 (자연 같아서)

왜냐하면 (추울 때는 따뜻해서)

3. 우리 가족을 색깔로 표현해 보세요.

(김민서) (김종원) (이송희) (이순우) (이효주) (이재우) (김가빈)

4. 우리 반 아이들 10명의 이름을 쓰고 그 아이에게 맞는 색깔을 찾아주세요.

(서현) (진호) (도기) (송기승) (혁서)

(고상현) (상훈) (이가율) (이창연) (곽예찬)

5. 떠오르는 선생님 5명의 이름을 쓰고 그 선생님에게 맞는 색깔을 찾아주세요.

(강형서) (고은미) (태권도) (항공과학) (두드림)

1) 내가 좋아하는 색깔 순서

모든 칸을 채웠고 뒤로 갈수록 꼼꼼하게 신경 쓴 것으로 보아 하고자 마음 먹으면 잘 할 수 있을 것으로 보임. 앞쪽에는 진한 느낌의 색을 채워 내면이 남성적이고 강할 수 있어 보임.

2) 나를 닮은 색깔이 있다면?

사람은 살색, 자연은 초록색, 따뜻함은 빨간색으로 색깔에 대한 보편적 의미를 알고 있어서 똑똑할 것으로 보이며, 자연을 좋아 하고, 빨간색을 1번에서 첫번째로 선택한 것으로 보아 따뜻한 감성을 갖고 있는 것으로 보임.

3) 가족 색깔

가족 칸을 다 채워(사촌동생까지) 성실하고 책임감 있어 보이나, 남자는 파란색, 여자는 분홍색으로 표현했지만 본인은 살색으로 표현하여 독립적으로 보임.

4) 반 친구들 색깔

반 친구 중 서현, 진호, 도기와 친한 것으로 보이며, 교우관계에 어려움은 없어 보임.

5) 선생님 색깔

다섯 칸을 모두 1번의 앞쪽에 배열된 색으로 채워 선생님들의 관심을 받고 있으며, 긍정적인 관계로 보여짐

전체적으로 모든 칸을 채워 성실하고 책임감 있어 보이며, 문장과 단어의 의미를 잘 알고 있어 영리함, 전체적으로 주로 좋아 하는 색을 많이 사용하여서 관계적으로 원만해 보임. 색을 상하 방향으로 대충 칠하고 어지러워 보여 불안정해 보임.

수퍼바이저

이 학생의 특이점은 마블 과정을 상당히 잘 완수했다는 것입니다. 전반적으로 주의가 산만해 보이나 특정 분야에서 내재적인 장점을 가지고 있어 보입니다. 한 분야의 뛰어난 것을 찾아주는 방향으로 상담 코드를 맞춰주는 것이 필요하며 전체적으로 부족하기 보다는 과한 쪽의 사고력이 높아 보이므로 주의가 산만해 보이고 그에 비해 한쪽의 집중도가 내재된 성향으로 파악됩니다.

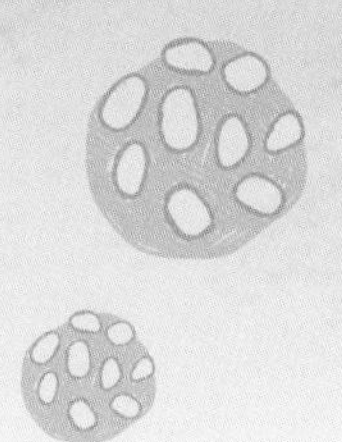

A복지관

은빛하늘지기봉사단과 함께하는 쿠키테라피

은빛하늘지기봉사단은 A복지관 쿠키플레이&테라피의 프로그램의 새로운 시도였다. 정서 행동의 문제가 있는 학생들에게 먼저 1년 프로그램으로 쿠키플레이를 진행하였고 같은 해에 실버 봉사단 자체 프로그램을 함께 실행하였다.

A복지관 담당 복지사는 자체 실버교육을 교육으로 끝나지 않고 교육생이 직접 교사가 될 수 있게 쿠키플레이 교육을 기획하고 그 이름을 <은빛하늘지기>로 만들어서 운영하였다. 이 프로그램은 많은 복지관에 좋은 사례를 시사해 준다. 일단 아동과 노인을 함께 섬기는 복지관은 이보다 더 좋은 프로그램이 없을 정도로 서로 상호 보완하면서 운영되는 프로그램 모델이다. 또한 아동복지관과 노인복지관이 서로 연계해서 프로그램을 진행해도 좋을 것으로 보인다.

노인 자체의 쿠키플레이 프로그램도 상당히 좋은 프로그램이다. 자아효능감 향상과 노인 우울증, 치매 예방에 좋은 단독 프로그램이다. 노인의 경우, 치료와 관리를 함께 받아야 할 증상의 노인에게는 이러한 방식의 접근이 좋다. 그러나 아직 활동적인 봉사를 원하는 젊은 노인이라고 부르는 실버 세대에게는 이 교육이 다른 섬김을 할 수 있도록 그 직업이나 봉사의 장을 줄 수 있는 것이라서 더 훌륭하다.

현재 국내에서는 <푸드폴리스>라는, 노인복지관에서 학교 점심 배식 지원을 하는 프로그램이 정착되었다. 이 프로그램의 취지는 노인 인력을 활용하는 것이다. 이렇게 배식 도우미의 영역처럼 이 쿠키플레이 교사단 봉사단도 좋은 노인 인력 활용이 될 수 있을 것이다. 배식을 도와주는 할아버지 할머니도 훌륭하지만, 쿠키를 구워주는 할아버지 할머니 또한 좋은 영역이 될 수 있을 것이다. A복지관의 프로그램이 좋은 사례가 되어 많은 복지관에서 기획이 이루어져 노인도 아동도 좋은 교육의 장, 나눔의 장이 될 수 있었으면 좋겠다.

다시 한번 이런 좋은 기획을 해준 담당 복지사님께 이 지면을 통해서 감사하고 싶다. 또 다른 창의적인 의욕적인 복지사님들에게 본 프로그램을 제안해 본다.

A복지관 아동 쿠키플레이 프로그램

10명 내외의 정서적 문제 아동 대상 대안프로그램 진행(1년)

부모교육

실제 ADHD 학생, 조울증 학생의 회복을 보임.
모든 참가자의 자야 회복 탄력성의 유의성 높게 나옴.

학생 참가자를 대상으로 진행된 프로그램이 좋은 성과를 가져왔다.
이에 실버 세대를 대상으로 쿠키플레이 프로그램을 실행했고 좋은 반응을 보였다.
이에 은빛봉사단을 만들어서 직접 일의 창출을 가져오기 위해 은빛봉사단을 교육하고 그 교육을 받은 실버 봉사단을 만들어서 학생을 지도하는 봉사단의 모습으로 구성하였다.

A복지관 노인 쿠키플레이 프로그램

봉사를 원하는 노인 대상 쿠키플레이 프로그램 운영(1년)

다양한 활동에 쿠키플레이 프로그램 봉사

쿠키플레이를 배운 노인들이 아동 대상 프로그램 참여 (1년) (봉사단 오리엔테이션)

평가회

쿠키플레이를 배운 노인들이 아동의 대안프로그램 참여 (1년) (선의 원두박 캠프)

평가회

쿠키플레이를 배운 노인들이 정서적 문제 아동 대상 대안프로그램 운영 (1년)

Ⅰ. 프롤로그
은빛하늘지기봉사단을 위한 준비

1. 행복한 노년을 위한 쿠키플레이

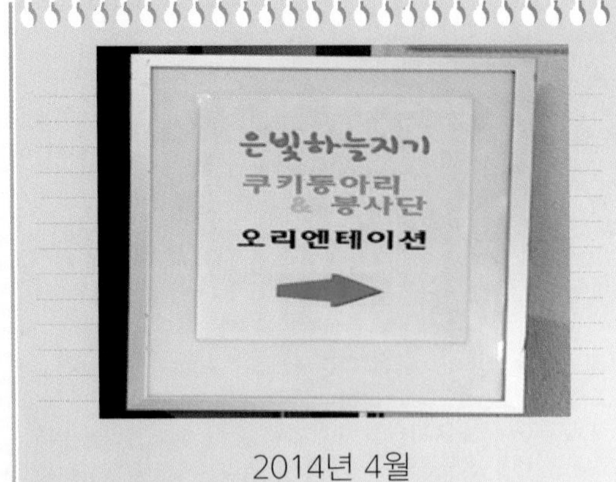

2014년 4월

쿠키플레이 가치를 공유하다

쿠키플레이를 배우다

쿠키플레이를 배우다

쿠키플레이 비전을 나누다

쿠키동아리 수업이 무르익을 5월 무렵 커피향이 가득한 곳에서 어머님들과 간담회를 진행하였습니다.
'아이들에게 쿠키플레이 수업을 잘 할 수 있을까?'
'걱정 반! 설렘 반!'이었던 우리 어머님들. 동아리 시간에 배웠던 쿠키플레이를 집을 돌아가서 손주들에게 실습했던 경험담도 나누면서 쿠키봉사단의 비전을 공유한 시간이었습니다.

쿠키플레이를 배운 노인들이 정서적 문제 아동의 대안프로그램 운영 (1년) (** 원두막 캠프 참여)

쿠키플레이 수업을 시작하다

쿠키플레이 수업 진행 2년차

쿠키플레이 수업 진행 3년차

쿠키플레이 수업 진행 3년차

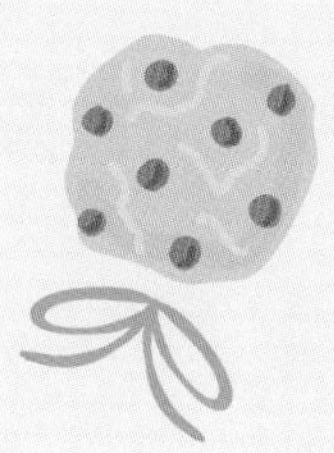

쿠키플레이 자주 활동

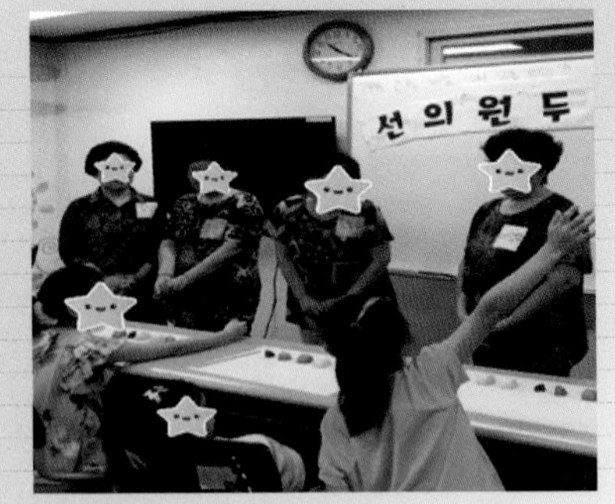

쿠키플레이 수업 진행 4년차

쿠키플레이 수업 진행 4년차

쿠키플레이 수업 진행 4년차

쿠키플레이 수업 진행 4년차

2. 감사편지와 음료수

감사편지 작성

감사편지 작성

감사편지 작성

음료수

3. 감사 평가회로 추억을 만들다.

쿠키플레이 수업
진행 4년차

4. 사람은 나이를 먹는 것이 아니라 좋은 포도주처럼 익는 것이다. -필립스-

Cookie Play

해외와 야외에서 함께한

쿠키플레이

미얀마 쿠키플레이

〈세계로 가는 쿠키플레이 & 쿠키테라피〉

일시: 2019년 2월 6일부터 10일까지의 일정
오전 10시부터 오후 4시까지 3회에 걸쳐 1시간 30분씩 진행
장소: 미얀마 최초의 직업전문학교로 한국의 선교 단체인 위드에서 이 학교의 설립과 운영을 하는 곳이다.

〈프로그램 진행 방법〉
첫날은 쿠키플레이에 대해 소개한 다음 나 자신과 가족을 표현하는 네임쿠키를 실시했고, 둘째 날은 행복한 기억과 꿈을 주제로 머핀을 만들었음.

〈재료 구비〉
쿠키플레이를 할 때는 전용 반죽dl 현지에 없었음.
그래서 제과제빵에서 밀가루로 쿠키 반죽을 만들고, 5가지 색의 식용 색소를 구해서 사용. 5색이지만 조합하니까 여러 가지 색을 만들 수 있었음. (해외에서 진행할 때는 색소만 챙겨 간다면 어디에서든지 쿠키플레이를 할 수 있음.)

〈미얀마 학생들의 반응〉
미얀마 사람은 감정을 직접 드러내는 성향이 아니라 속마음을 숨기는 것이 훈련된 나라의 문화이다. 그런 나라임에도 불구하고 학교 관계자들이 놀란 것은 학생들이 학교생활을 하면서 말하지 않은 것을 수업이 진행되는 동안에 했다는 것이다. "학생들이 마음을 고백하고 표현하는 걸 봤어요. 피드백을 주고받을 때 경직되어 있던 학생도 속마음을 털어 놓았고, 우는 학생도 몇몇 있었어요."
모두 몰입해서 점심시간도 거르고 하나라도 더 배우고자 하는 자세가 훌륭했다.
통역을 통해 진행된 수업이었지만 쿠키라는 작업은 서로를 통하게 하는 도구임을 또 한번 알 수 있었다.
수업을 해 준 후 학생들이 또 자체적으로 수업을 했고 그 작품으로 졸업작품전을 했다고 한다.
몇 명이 자신이 한 번도 말하지 않은 것을 말했다고 짧은 시간에 이야기했는데, 이것은 쿠키플레이&테라피가 갖는 심상을 통한 상담의 가능성을 보여준 부분이다.

telenor
Myanmar's widest 4G network
welcomes you to Yangon

KOICA
Food & Beverages Vocational Training (F&BVT)
15.12.2018 (Saturday)
G.T.H.S (Hlaing Thar Yar)

F&B VT
Food & Beverages
Vocational Training
KOICA

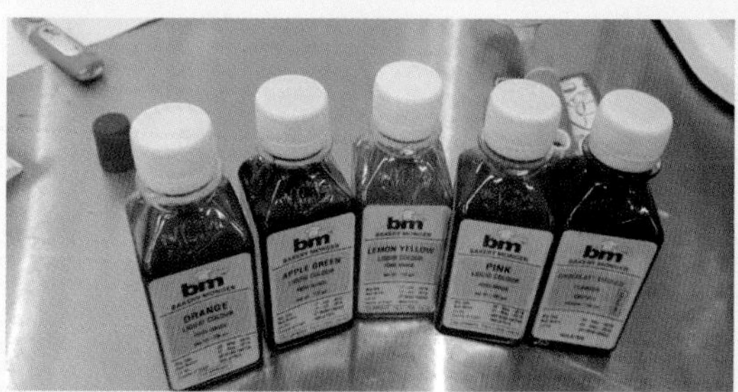
bm
ORANGE
APPLE GREEN
LEMON YELLOW
PINK

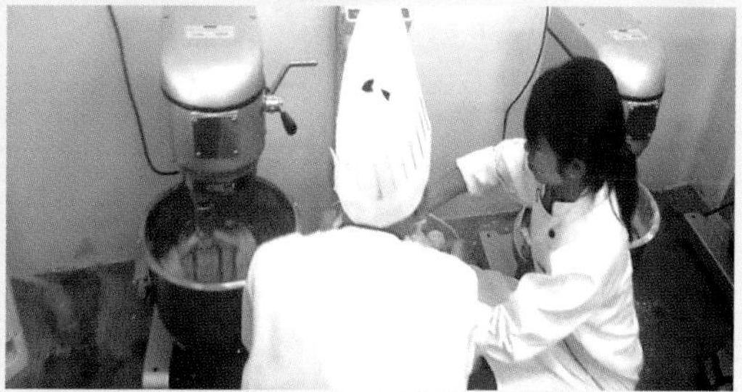

미얀마 직업학교 쿠키플레이를 만나다.

미얀마
첫 직업학교에서
베이킹을 하는 반에서
쿠키플레이 수업을 했다.

미얀마 학생들은 선생을 존중하는 예의가
몸에 배어 있는 학생들이다.

쿠키플레이라는 수업을 처음 대하는 학생들은
그 중요한 점심시간을 마다하면서까지 집중하며
즐거워 했다.

특히 자신의 내면을 잘 이야기 하지 않는
분위기인 미얀마에서
자신의 이야기를 하는 것을 보고
교직원도 놀라워했다.

해외에서 몇 집단을 해봤고 다문화에서도 해보았는데
쿠키플레이 & 테라피는 나라와 문화를
넘어서 공통적인 마음을 보이는
보편성을 볼 수 있었다.

특히 자기의 내면을 잘 표현하지 않는 불교문화의
미얀마에서도 자신을 공유할 수 있는 힘을 볼 수 있었다.

학생들 작품

미얀마 통역사 민아의 이야기

민아는 미얀마 가서 내가 수업을 했을 때 통역을 해준 미얀마 보조 선생님이었다.

민아 통역사는 내 수업을 통역하다가
쿠키플레이를 하고 싶다며
자신도 만들어도 되는지 물어보고
함께 만들었다.

이 작품은 민아가 자신의 한국이름을 쿠키플레이로
만들었던 것이다.

민아 쿠키플레이로 이야기 하다.

민아는
통역을 하면서 쿠키플레이를 더 배우고 싶었고
그러면서 자신의 나라에 이런 상담이 있었으면
좋겠다고 이야기 했다.
민아는 자신의 집 이야기를 학교 선생님에게 조차도 하지 않았었다고 한다.
민아뿐 아니라 미얀마의 문화는 자신을 솔직히
드러내는 것을 어색해 한다.
그런 민아가 쿠키플레이를 하면서 갑자기 자신의 이야기를 눈물과 함께 나누어 주었다.

민아, 쿠키로 마음을 열다

"쿠키를 하니까 마음을 이야기 하게 돼요."

그리고 민아는 눈물을 흘리며 자신의 마음을 열었다.
미얀마에서 만난 민아와 쿠키플레이 그리고
그 외 학생들도 자신의 속 이야기를
나누어주었다.
학교 선생님도 학생들이 자신의 이야기를
오픈 하는 것을 보고 쿠키플레이라는 것의
상담에 대한 기대감을 이야기 했다.

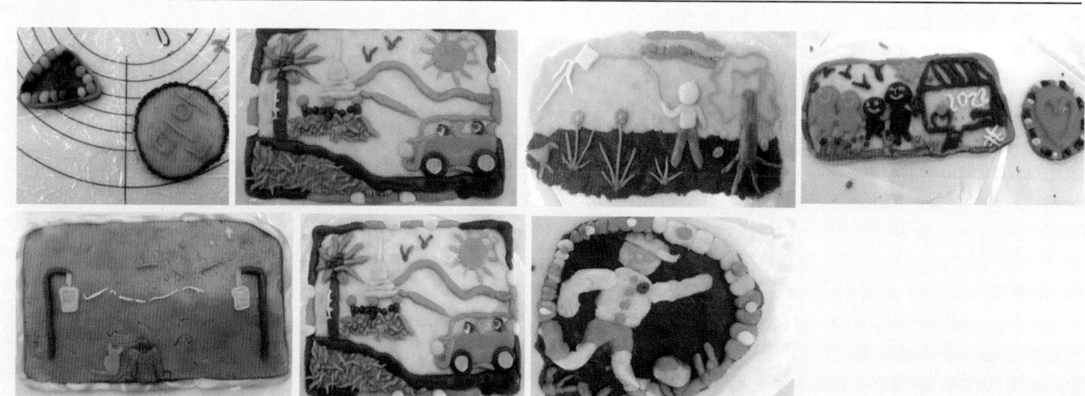

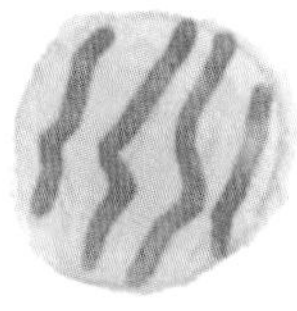

숲속 쿠키 힐링 캠프

일반 아동 대상 힐링 캠프

쿠키플레이 &쿠키테라피는 숲을 만나면 어떤 향상 효과가 있을까?

그런 취지로 구성된 캠프는 1차 10개 가정으로 시작하여 다음 해는 관악구 소재 초등학교 가족 캠프와 연결되어 20여 가정이 참여하는 캠프로 진행되었다. 저소득가정과 연계되었던 프로그램을 참여해 본 가족이 "여러 프로그램을 다 참여해봤지만 정말 소중한 경험이었다."라고 진심 어린 의견을 주었다.

숲에서 진행되는 쿠키 힐링 캠프는 1박 2일 캠프 프로그램으로서 충분한 매력이 있는 수업이다. 준비하는 과정에서 여러 가지 신경을 써야 하는 어려움은 있지만, 단기간으로 효과를 보기 위해서는 캠프를 추천한다.

2회의 학교 연계프로그램에선 가족이 서로의 마음을 알아보는 가족 동물화의 프로그램을 진행하였고 그 가족 동물화는 대화가 없는 가족을 대화하게 하는 좋은 프로그램이다. 그리고 쿠키는 아버지 학교, 어머니 학교에서도 매우 좋은 도구이므로 가족 프로그램 구성 시에는 충분히 고려될 수 있다.

더 나아가 최근에 직장 연수에서 환영받는 쿠키 코칭 프로그램으로 학교 교사의 전문적 학습공동체 프로그램에서도 힐링과 교육의 고민을 해결할 수 있다. 그리고 직장인을 대상으로 하는 상담형 연계 연수, 팀워크 향상 연수, 자기 힐링 연수, 나를 찾아서 코칭 프로그램을 추천한다.

〈대상 및 목적〉
아동기는 6~7세부터 12세에 이르는 시기로 우리나라에서는 보통 초등학교 시기를 말한다. 이 시기는 가정이라는 울타리를 벗어나 생활환경이 광범위하게 넓어지며 다양한 사회적 요구와 학습에 대한 기대, 또래관계 및 부모, 교사 등 사회적 대인관계에 대한 적응이라는 요구를 받게 되므로 정상적이고 건강한 아동들도 일상생활에서 다양한 스트레스 상황에 직면하게 된다.

인간이 다른 사람과 접촉하며 상호 영향을 주면서 친사회적 행동을 습득하고 학습하는 것은 정상적인 인간발달과정에서 필연적이다. 따라서 아동기부터 다른 사람들과 상호 작용을 하면서 긍정적인 친사회적 행동을 경험하고 익힐 수 있도록 친사회적 행동 훈련하고, 자신이 경험하는 스트레스에 효과적으로 대처하는 방법이나 능력을 키워 주고자 한다.

〈캠프 프로그램 특징〉
자발적으로 참여한 아동과 엄마의 구성으로 일상생활의 스트레스를 해소하고자, 놀이와 쿠키플레이를 병행하여 진행하였다. 전문 쿠키플레이 강사와 레크레이션 전문가와 함께 진행되는 프로그램으로 아래 일정 1부, 2부의 순으로 진행되었다.

1부는 예술 활동을 통해 창의력을 향상하고, 본인의 생각을 표현함으로써 타인에 대한 이해와 자신감을 가질 수 있으며, 쿠키플레이 활동을 통해 성취감과 집단 구성원 간의 친밀감을 가질 수 있다.
2부는 신체 활동을 통한 프로그램으로 각종 게임과 활동으로 협동심과 용기를 심어 주는 역할 뿐만 아니라 학업과 직무로부터 받는 정신적 스트레스를 해소해줌으로써 정서적 안정에 큰 효과를 줄 수 있다.

1. 이렇게 실시했어요!

장 소	불광동 팀비전센터
일 시	2016년 4월 23일
대 상	초등학생
주 체	쿠키플레이연합회

2. 구체적인 일정은요?

쿠키캠프 시작 및 준비 〈1부〉		
시 간		내 용
1	10시	집합 및 안내
2	10시 30분 ~ 12시	나를 소개해요…(쿠키)
3	12시 30분 ~ 2시	맛있는 저녁 점심
쿠키캠프 시작 및 준비 〈2부〉		
4	2시 ~ 3시	자연과 함께 힐링!~숲속을 걸어요~♪♪♬♩
5	3시 ~ 4시3 0분	눈을 크게 뜨고 보물을 찾아요~~보물찾기!
6	4시 30분 ~ 5시	메달 증정 및 마무리

3. 활동사진

캠프에 처음 입소하면서 들뜬 마음

꽃과 풀의 자연의 향기를 맡으면서

숲속을 느끼며, 자연을 느끼며

그룹원들과 함께 자연 탐색시간

4. 학생별 쿠키작품

● A학생

쿠키 바탕색은 흰색을 선택하고 글자를 전체 쿠키 크기에 맞게 적절하게 배치함. 차분하고 묵묵히 본인의 일을 해나가는 성실형

● B학생

숲속에 와서 본 꽃을 쿠키 생지를 가지고 색감있게 입체적으로 잘 표현함. 소근육이 잘 발달하고 상상력이 풍부한 편. 창의성 상상력이 풍부한 우뇌발달형

● C학생

초록색 바탕색을 선택하고 알록달록한 색으로 글자를 표현함. 활동성이 풍부하여 신체활동이 많은 행동 우세형 임.

5. 주제별 쿠키 모음

자랑스러운 나의 이름 만들기

재미있는 얼굴 표정 쿠키 만들기

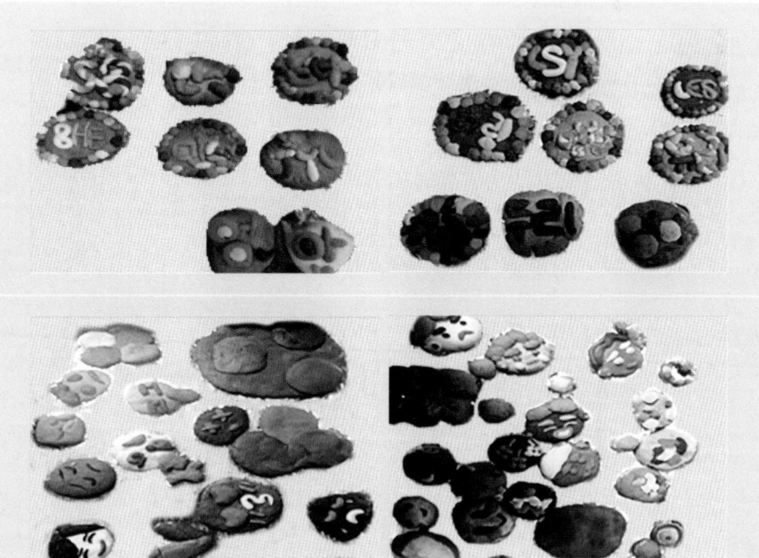

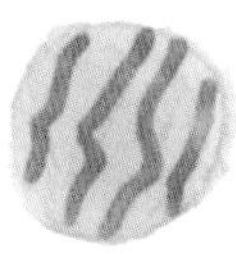

우리가족 힐링 캠프

복지대상 가족 프로그램 캠프

〈대상 및 목적〉
오늘날 사회가 급격히 발달하고 산업화, 현대화, 도시화에 따른 사회구조의 변화, 가족구조의 변화, 가치와 규범의 변화 등에 의해 이혼, 별거 및 미혼모가 증가하고 있으며, 사회경제적 양극화의 심화로 빈곤 계층의 아동은 사회, 문화, 교육, 보건 등의 여러 측면에서 결핍을 경험하고 있다. 저소득층을 포함한 다양한 취약계층이 가정 배경과 상관없이 누구나 유의미한 교육 경험을 통해 성장하도록 지원하는 것으로 '교육복지우선지원사업'이라는 정책 추진하에 관악구 소재 7개 학급의 가족 65명을 대상으로 1박 2일의 캠프 프로그램을 진행하였다.

경제 빈곤은 물리적 환경뿐만 아니라 심리 환경에도 영향을 미쳐, 소득층 아동의 발달과 성장에 영향을 미친다. 부모 상호 간 갈등, 경제감축, 심리 압박, 의료 어려움 같은 경험들은 소득층 아동 발달에 부정으로 작용하고 학업성취, 인지, 행동 사회정서발달 문제를 야기하여 저소득층 아동이 학교생활 부적응, 낮은 자존감을 나타낸다고 보고되며, 저소득층의 취약한 가정교육, 학교 교육의 부정적인 영향을 받는 아동들을 대상으로 캠프를 진행했다. 캠프 활동을 통해 다른 사람들과 상호 작용하게 되고, 이러한 활동은 사회적. 심리적. 정서적. 신체적 성장을 가능하게 하며 친구를 사귀게 되어 적합한 사회적응 기술을 배울 수 있다.

〈캠프 프로그램 특징〉
저소득층을 포함한 다양한 취약계층이 가정 배경과 상관없이 누구나 유의미 한 교육 경험을 통해 성장하도록 지원하는 것으로 교육복지우선지원사업' 이라는 정책을 추진 하에 관안구 소재 7개 학급의 가족 대상으로 1박 2일의 캠프 프로그램을 진행하였다.
신체 활동을 통한 프로그램으로 각종 게임과 활동으로 협동심과 용기를 심어 주는 역할 뿐만 아니라 학업과 직무로부터 받는 정신적 스트레스를 해소해줌으로써 정서적 안정에 큰 효과를 줄 수 있다.
예술 활동을 통해 창의력을 향상하고, 본인의 생각을 표현함으로써 타인에 대한 이해와 자신감을 가질 수 있으며, 쿠키플레이 활동을 통해 성취감과 집단 구성원 간의 친밀감을 가질 수 있다. 쿠키를 가족과 함께 의논하고 만들고 하는 활동을 통해 가족 간의 대화와 소통의 시간과 힐링의 시간을 가질 수 있다.
관계 활동을 통해 긴밀한 관계 형성을 조성하며 가족과 친구에 대해 알아가는 기회를 제공하고 연대감을 형성할 수 있는 프로그램으로 진행할 수 있다.

1. 참여 인원

구분	부	모	고학년	저학년	게임 참여 인원 계(A)	미취학(B)	총계(A+B)
봄	2	5	3	4	14	6	20
여름	2	5	4	3	14	2	16
가을	2	4	2	5	13	2	15
겨울	2	4	4	3	13	1	14
Total	8	18	13	15	54	11	65

2. 장소

장 소 : 불광동 팀 비전 센터

3. 프로그램 진행 순서 1

구분	세부내용	비고
13:00 ~ 14:00	Welcome lunch~ (맛난 점심)	가정별
14:00 ~ 14:30	등록 및 개강식	강사 임장순 (단풍나무 숙소 강당)
14:30 ~ 15:30	미니등반 "자연 속 힐링 숲 속의 자유"	가정별
15:30 ~ 17:30	숲속 미니 올림픽!!	강사 임장순 (숙소 앞 마당)
17:30 ~ 17:50	Break & 식당이동	가정별
17:50 ~ 18:40	맛있는 숲 속 저녁식사	강사 조성연
19:00 ~ 21:00	쿠키플레이 I - 토닥토닥 쿠키로 만드는 우리가족 이름 -	강사 임장순 조성연 (강당)
21:00 ~ 22:30	쿠키플레이 II - 인성 힐링 토크 -	연구회장 안미진
22:30 ~	Good night~See you in the morning~	가정별

4. 프로그램 진행 순서 2

구분	세부내용	비고
07:30 ~ 08:00	Good Morning~	가정별
08:00 ~ 08:30	숲 속의 아침 체조	가정별
08:30 ~ 09:30	맛난 아침	가정별
09:30 ~ 10:30	쿠키플레이 Ⅲ - 가족 피자쿠키 만들기 -	연구회장 안미진 (강당)
10:30 ~ 11:30	눈을 크게 뜨고 보물을 찾아요~	양희경 (숙소 주변 숲)
11:30 ~ 12:00	폐회식 - 굿바이 힐링캠프 -	가정별

5. 프로그램별 활동 사진

첫 만남

미니 등반

쿠키 만들기 1 – 가족 이름 만들기

쿠키 만들기 2 - 가족 동물로 표현하기

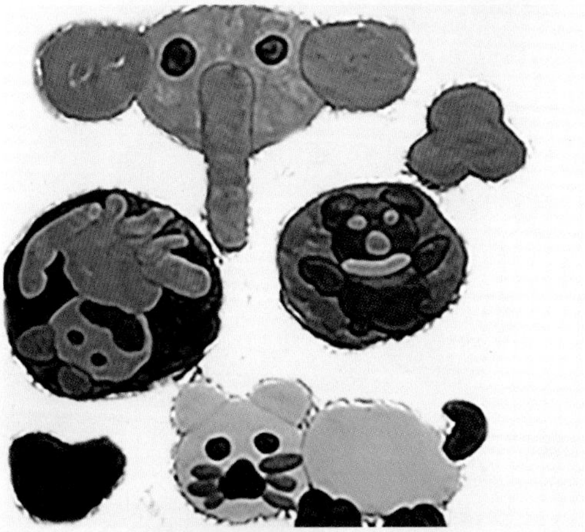

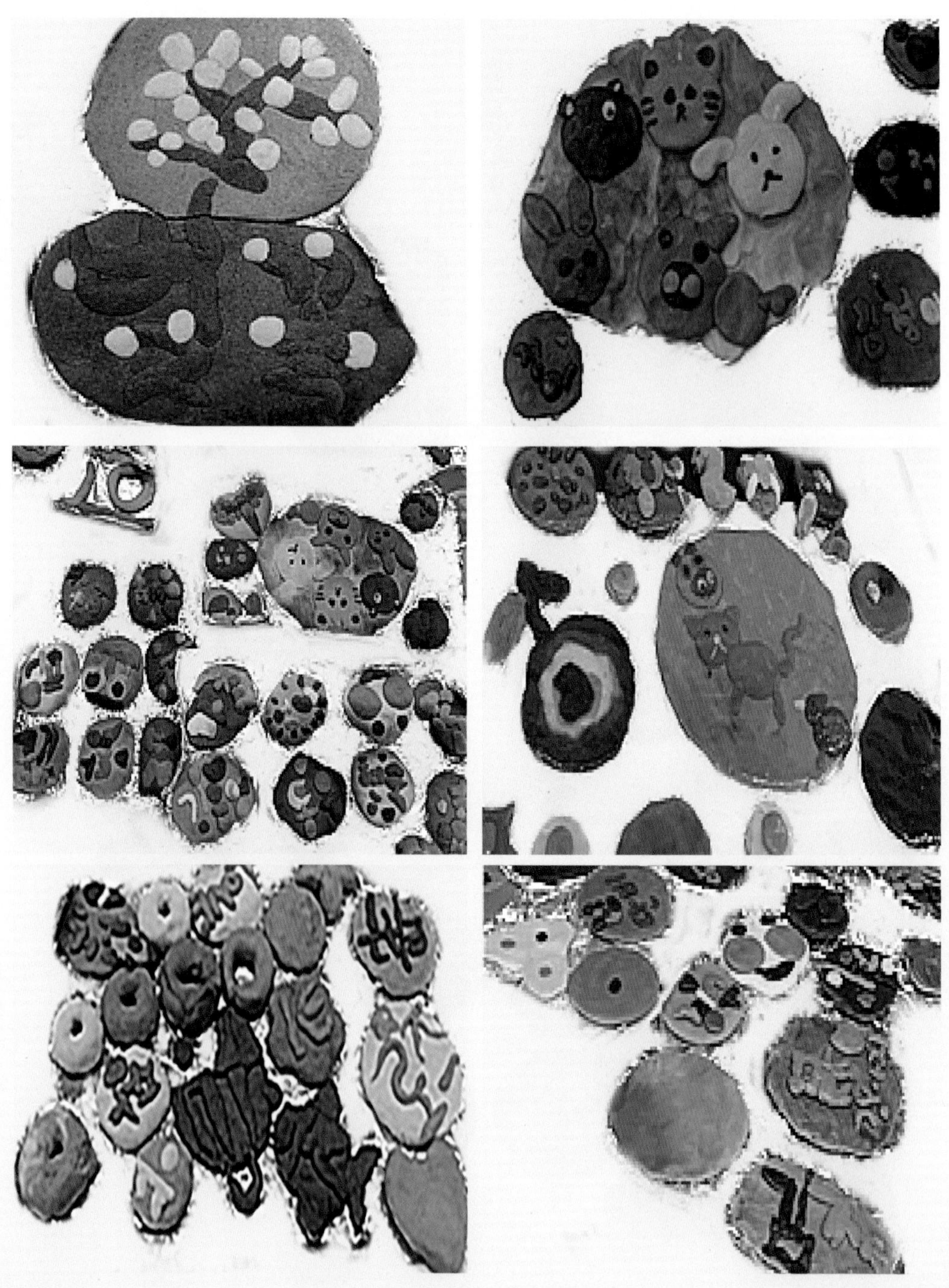

가훈쿠키 피자

Cookie Play

쿠키테라피

분석 사례

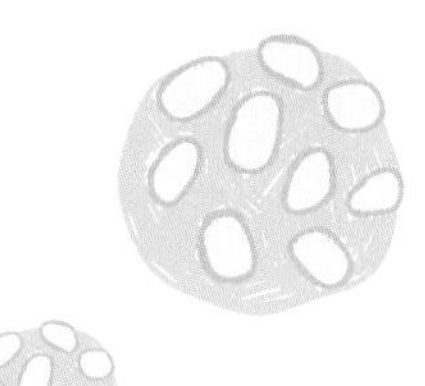

여고생 사회성 & 자존감 향상 쿠키테라피

1. 운영 내용

대상	2학년 4명(1학기), 2학년 5명(2학기) → 총 6명
모집 방법	개인상담 학생 중 선별
운영장소	본교 위클래스
운영날짜	2018. 4.9, 4.16, 5.14, 5.28, 6.4, 6.11(1학기) 2018. 9.3, 9.13, 9.17, 9.20, 10.11, 10.15(2학기)
운영시간	8교시(16:30~17:30)
운영차시	1학기-6차시, 2학기- 6차시 → 총 12차시
프로그램명	나야 나!
프로그램 주제	사회성 & 자존감 향상

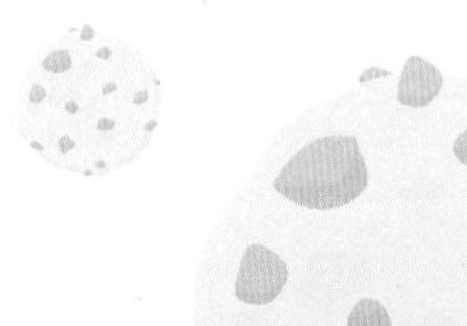

2. 차시별 프로그램 계획안

차시	제목		과정	준비물	기타
1 (1-1)	내가 아는 나	나야 나! (문자-네임)	• 자기를 소개하는 시간. • 자신을 잘 표현하는 형용사로 이름을 문자쿠키로 표현한다.	생지, 도마, 오븐	
2 (1-2)		표정 삼총사 (형상-얼굴)	• 분기점으로 본 나의 표정을 쿠키에 표현한다.	생지, 도마, 오븐	
3 (1-3)		내 마음은 요즘 이래 (추상-마블)	• 요즈음 자주 느끼는 감정을 추상마블을 통해 자유롭게 표현한다.(서로의 감정을 나눠가지며 공감하기)	생지, 도마, 오븐, 빵칼	감정 카드
4 (1-4)	나의 가족	우리 가족은 (형상-사물)	• 가족을 상징하는 사물을 표현하여 가족에 대한 생각을 발산한다. • 어항쿠키를 통해 가족 내에서의 역동을 파악한다.	생지, 도마, 오븐, A4 용지	
5 (1-5)	친구가 보는 나	마음자세 선물 쿠키 (문자-메시지)	• 살면서 필요한 마음자세에 대해 생각해보고 집단원들에게 주고 싶은 마음자세 덕목을 정하여 메시지 쿠키로 만들어 본다.(집단원 간 상호작용을 통해 자기존중감 향상)	생지, 도마, 오븐, 선물상자	마음 자세 카드
6 (1-6)	나의 꿈	내 꿈은 배달 중! (형상-피자 /토핑)	• 두명 씩 팀을 이루어 나의 꿈을 피자쿠키로 만들어본다.(집단원 간 서로 소통하며 성취감을 느끼는 시간)	생지,도마, 오븐, 빵칼, 토핑	
7 (2-1)	심층적 심리 분석	CHTP	• CHTP를 표현하게 한 후 자유롭게 이야기 나눈다.	생지, 도마 오븐, A4 용지	
8 (2-1)		빗 속의 사람쿠키	• 비가 오는 상황을 비, 우산, 사람으로 표현한 후 이야기 나눈다.	생지, 도마 오븐, A4 용지	
9 (2-3)		I-U-G	• 행복하고 좋을 때, 힘들거나 내가 싫을 때, 지금의 나의 상태를 표현한다.	생지, 도마 오븐, A4용지	
10 (2-4)	나를 사랑해	내가 차린 한 상 (형상-사물)	• 평상시 좋아하는 음식들을 쿠키로 만들어 스스로에게 한 상을 차려준다.(집단원 끼리 서로 좋아하는 음식들에 대해 자유롭게 이야기 나누기)	생지, 도마, 오븐	
11 (2-5)		나에게 주는 선물 (형상-사물)	• 평상시 내가 갖고 싶었던 물건들을 형상으로 만들어 스스로에게 선물한다.	생지, 도마, 오븐, 꼬지, 머핀	
12 (2-6)		미리 보는 내 모습(바탕)	• 10년 뒤 내 모습을 상상한 후 바탕쿠키로 표현한다.	생지, 도마, 오븐, 토핑	

3. 차시별 진행과정

1차시 (나야 나!)

2차시 (표정 삼총사)

3차시 (내 마음은 요즘 이래)

4차시 (우리 가족은~)

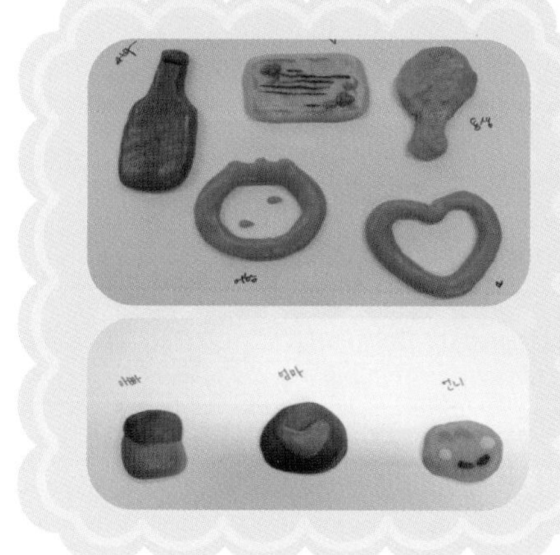

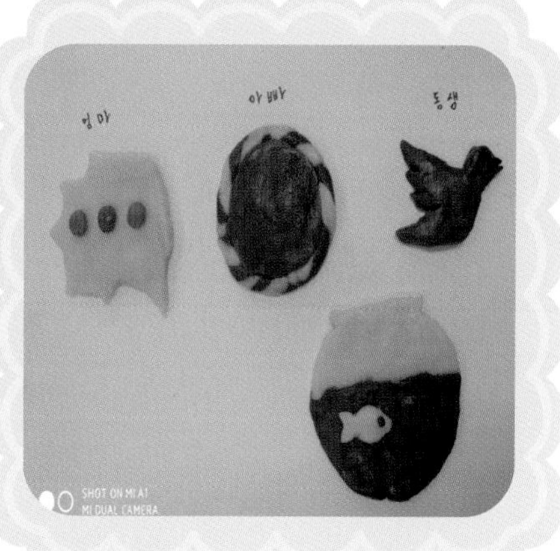

3. 차시별 진행과정

5차시 (마음자세 선물쿠키)

6차시 (내 꿈은 배달 중)

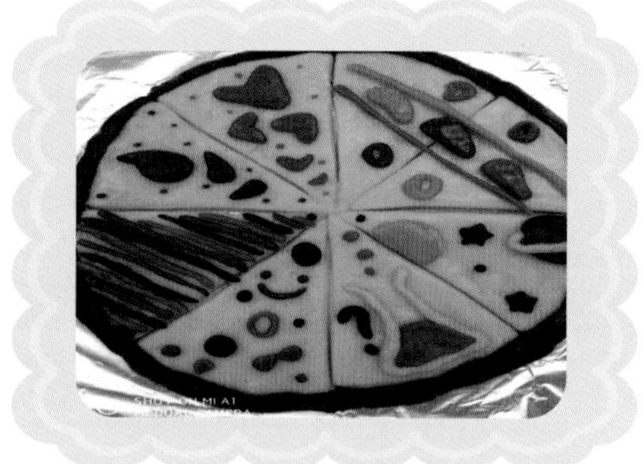

7차시 (CHTP)

3. 차시별 진행과정

8차시 (빗 속의 사람쿠키)

9차시 (I–U–G)

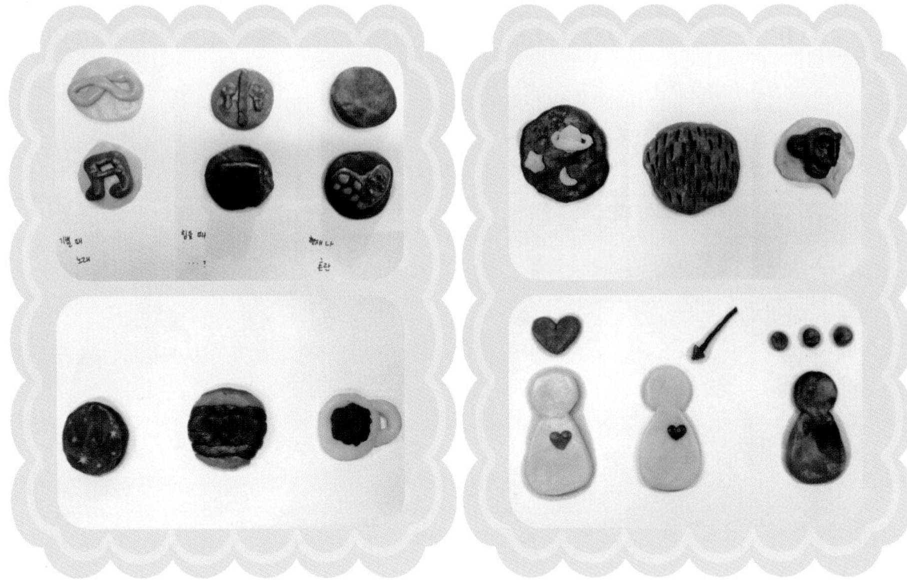

10차시 (내가 차린 한 상)

11차시 (나에게 주는 선물)

3. 차시별 진행과정

12차시 (미리 보는 내 모습)

4. 개인별 분석

신중한 (1학기 1~3차시)

1차시 자신을 표현하는 형용사를 "신중한"으로 선택함.

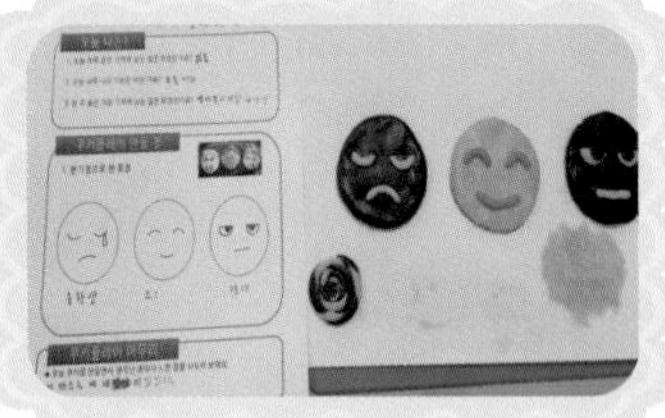

2차시 중학생 때, 고1때, 현재의 자신의 모습을 표정으로 표현함.

3차시 요즈음 자주 느끼는 감정을 ? 로 표현함.

신중한 (1학기 4~6차시)

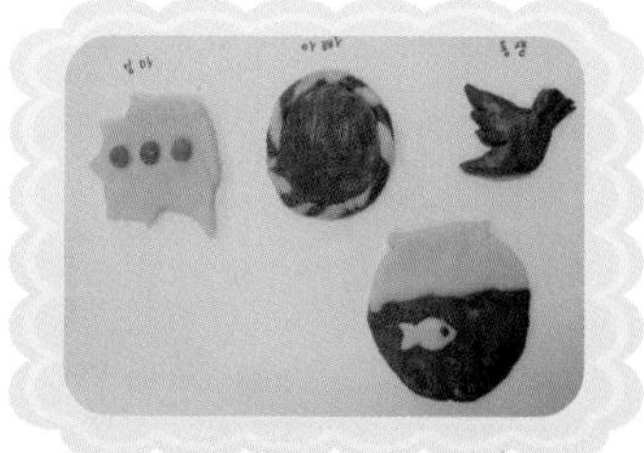

4차시 가족을 상징하는 형상에서 엄마는 감정신호등, 아빠는 꽈배기로 테두리를 표현하면서 외부와 단절된 모습, 동생은 인터넷 사용이 많아져서 트위터로 표현함.

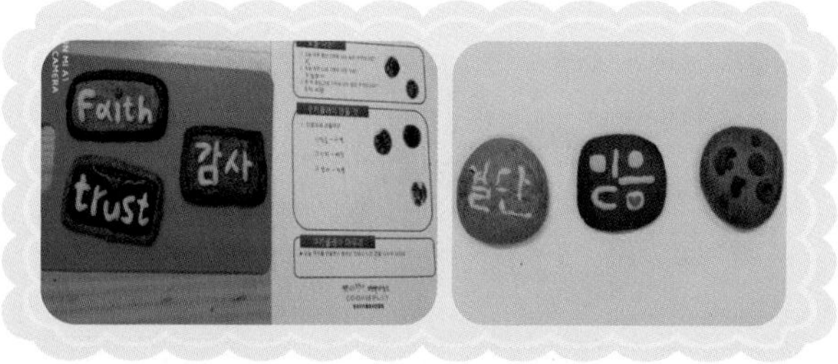

5차시 집단원들에게 결단, 믿음, 자유로움을 선물 받음.

6차시 꿈피자에서는 평상시 관심이 있는 화학분야와 천문학분야를 표현함.

4. 개인별 분석

신중한 (2학기 1~6차시)

2학기 1차시

집도 나무도 사람도 평범하게 만들었다고 함. 갈색을 많이 쓴 이유를 묻자 오늘 그 색이 마음에 들었다고 함. 표정이 없는 이유는 그것이 가장 자연스럽고 잘 어울릴 것 같다고 말함. 다 만들고 나서 자신의 속마음, 감정이 들어 있어서 놀랐다고 하며, 만들 때는 별 생각이 없었지만 무의식이 반영되는 것 같은 느낌이 든다고 함.

2학기 2차시

우산 쓰고 산책하는 모습을 표현함. 좀 세게 내리는 비라고 말하며 몇 시간 정도 더 내릴 것 같은 비라고 함. 집단원들의 피드백을 듣고 작품에서 자신도 몰랐던 자신의 상태가 자연스럽게 드러나는 것을 신기해 함.

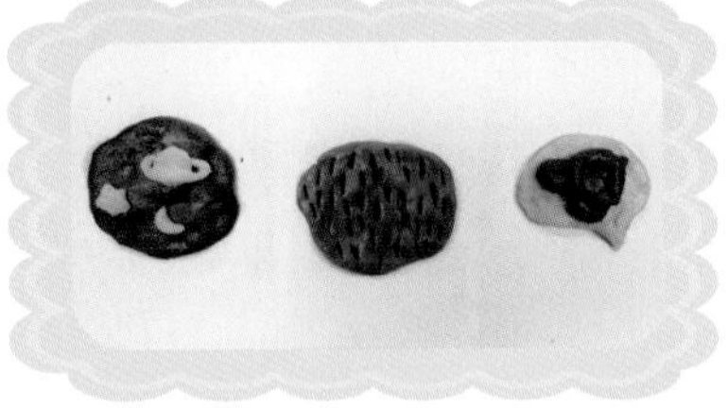

2학기 3차시

행복할 때는 밤하늘을 좋아해서 밤하늘을 표현, 힘들 때는 피가 날 정도로 난도질 당한 자신의 마음을 표현함. 지금의 상태는 자신도 잘 모르겠다며 모르겠는 마음을 표현했다고 함. 마음 가는 대로 만들었는데 자신도 모르는 의미를 집단원들이 찾아줘서 고마워함.

2학기 4차시

좋아하는 음식을 한참동안 떠올리지 못하다 집단원들이 이야기해 준 것들 중 연어초밥과 마카롱을 만들었음. 만두도 만들어 보려고 시도함.

2학기 5차시

나에게 주는 선물로 부족한 시간을 시계로 표현, 받고 싶은 사랑을 하트로, 자신이 혼자 살 행성을 표현함. 평상시 받고 싶은 것이 많았던 것 같은데 구체적인 형상으로 만들려 하니 아무 것도 떠오르지 않았지만 결국 자신에게 필요한 게 뭔지 알게 되었다고 함.

2학기 6차시

10년 뒤 내 모습을 고민하다 대학을 졸업하고 대학원 혹은 직장을 다니면서 잠깐 쉬며 밤하늘을 바라보는 모습을 표현함.

신중한 (총 12회기) 총평

대상 학생의 특징

- 전반적으로 쿠키를 만들기 전에 생각 하는 시간이 오래 걸리는 편이며 주로 사용하는 생지의 색이 갈색, 파란색, 흰색임.
- 안정된 느낌의 형상들처럼 보이지만 무겁고 어두운 느낌이 동시에 드는 작품이 많으며 얼굴 표정을 만들지 않음.

프로그램 전후 학생 변화

- 대인관계에 어려움을 느끼는 친구지만 12회기를 진행하면서 표현하지 못했던 자신의 감정들을 자연스럽게 표현하고 집단원들의 지지와 공감을 받으면서 용기를 얻고 행복해함.
- 12차시가 너무 짧게 느껴졌다며 아쉬워하면서 처음에는 만드는 것에 대한 두려움과 모르는 사람들과 함께 해야 한다는 두려움이 있었지만 회기가 지날수록 편안해졌다고 함.

4. 개인별 분석

성실한 (1학기 1~3차시)

1차시 자신을 표현하는 형용사로 "밝은"을 선택함.

2차시 표정삼총사에서는 놀러갈 때, 사춘기, 졸릴 때의 세 가지 표정을 표현함.

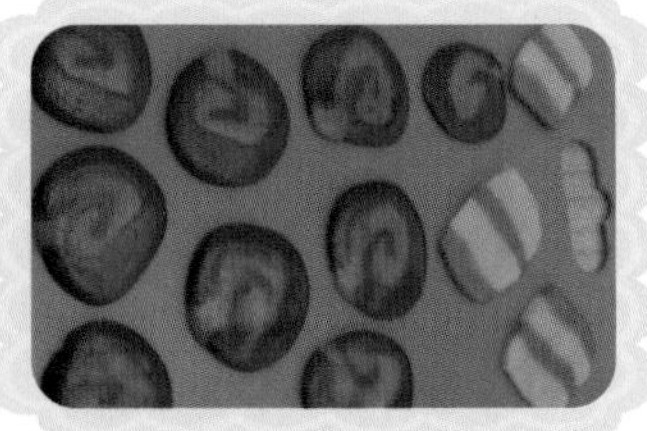

3차시 요즘 자주 느끼는 감정은 우울, 복잡이라며 복잡하고 안좋은 감정이 쿠키를 구우면서 사라진 것 같다고 함.

성실한 (1학기 4~6차시)

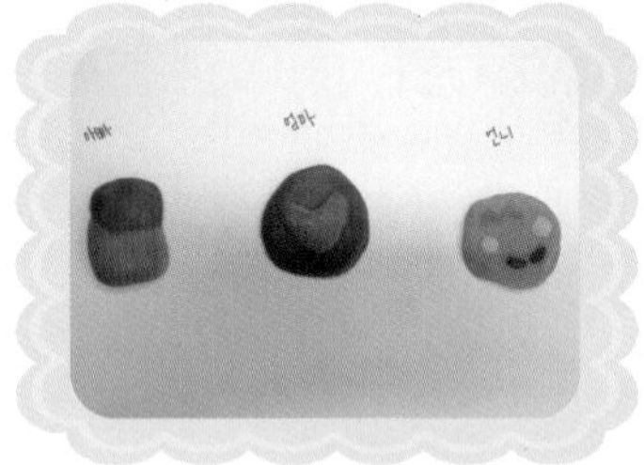

4차시 가족을 상징하는 형상에서 아빠는 단조롭게, 엄마는 차가워 보이지만 따뜻한 마음을 지닌 것으로, 언니는 밝게 표현함. 평소 가깝다고 생각했던 가족에 대해 표현하는 것이 어려웠다고 함.

5차시 집단원들에게 경청, 책임감, 신뢰를 선물 받음.

6차시 꿈피자에서는 미래에 상담사를 희망하기에 슬픈 눈물이 따뜻한 사랑으로 바뀌는 형상을 표현함.

성실한 (2학기 1~6차시)

2학기 1차시

나무는 실생활에 없는 나무를 표현해보고 싶었고, 자신만의 공간을 갖고 싶어서 2층집을 만들었다고 함. 사람의 색깔은 집에 있어도 꼭 편안한 것만은 아니라 어두운 색을 사용하였으며 중간 중간 붉은 색은 가족 안에서도 갈등과 충돌이 생길 수 있어서 그런 마음들을 표현했다고 함.

· 단순히 집, 나무, 사람을 만드는 것이라고 생각했는데 생각보다 자신의 감정이나 주변의 환경들이 섞여서 표현되는 것을 놀라워함.

2학기 2차시

우산도 집어 던지고 내리는 비를 자유롭게 맞으며 음악을 듣는 모습을 표현함. 정말 쏟아져 내리는 강렬한 비라고 이야기함.

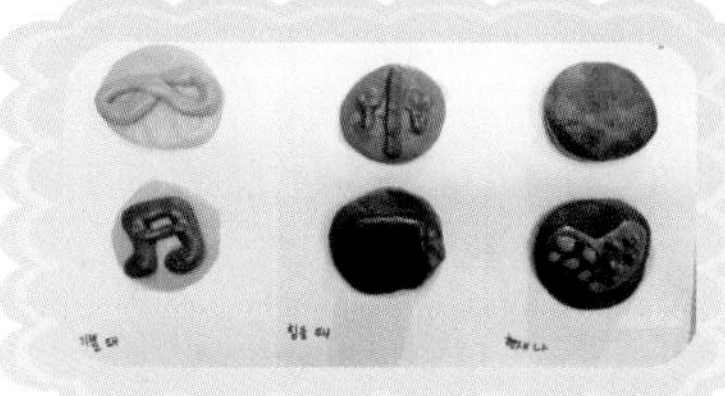

2학기 3차시

기쁠 때는 좋아하는 그룹의 공연 보러 가는 것과 음악을 들을 때이며, 힘들 때는 최근 관계에 대해서 생각하게 되면서 단절에 대한 표현으로 등 돌린 모습과 고정화된 틀로 자신을 보는 것을 표현함. 현재는 자신의 마음 속에 희망과 절망이 공존하며 보여지는 것과 실제 속마음이 다른 것을 이중적으로 표현함.

2학기 4차시

달달한 음료와 과자들을 먹고 싶어서 버블티와 샌드를 표현함. 여유로움을 느끼면서 먹어야 하는 것들 이라 주말에 카페 같은 곳에 가서 먹고 싶다고 함. 먹고 싶은 것들을 떠올리니 배가 고프기도 했지만 좋아하는 음식들 이라 기분이 좋았다고 함.

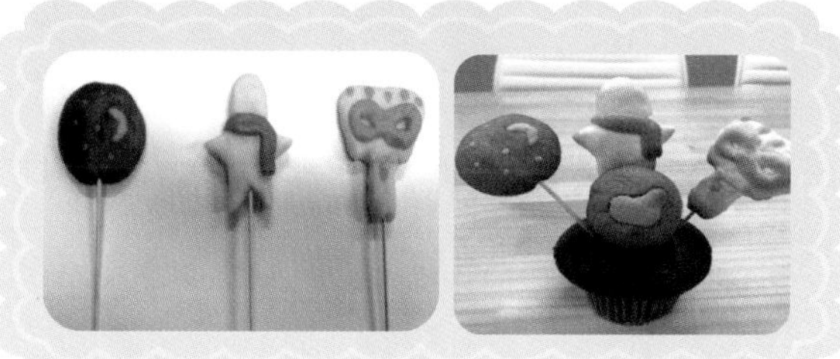

2학기 5차시

나에게 주는 선물로 잠,
혼자 있는 시간, 콘서트를 표현함. 가장 갖고 싶은 것은 콘서트를 가는 것이라고 함. 휴식을 생각하고 만든 것들이 위로가 되는 것 같아 기분이 좋아짐.

2학기 6차시

10년 뒤 내 모습을 상상하면서 하트는 상담사라는 직업에 대한 표현으로, 건빵 모양은 집, 잘하고 싶지만 못하는 노래를 배우고 싶은 마음, 휴식과 힐링을 밤하늘로 표현함. 미래에는 부정적인 생각을 줄이고 행복했으면 좋겠다 라는 생각이 들었다고 함.

성실한 (총 12회기) 총평

대상 학생의 특징

- 파란색과 갈색을 사용할 때는 어둡고 무거운 마음을 많이 표현하며 사람의 얼굴형태만 있고 표정은 항상 없음.
- 대인관계나 소통에 대해 많이 고민하며 혼자만의 시간과 공간, 자유에 대한 갈망을 많이 표현함.

프로그램 전후 학생 변화

- 동아리 및 학생회 활동도 열심히 하는 내담자로 성실한 모습만 보았는데 현재 여러가지 활동을 하면서 받는 스트레스가 커 보임.
- 집단상담을 통해 내면의 갈등을 많이 표출하면서 스스로 자신의 마음 상태를 잘 인식하고 마음의 안정을 찾아가려고 노력하는 모습이 보임.
- 상담사라는 꿈을 더욱 확고히 하는 계기가 됨.

4. 개인별 분석

프리한 (1학기 1, 2, 4차시)

1차시에서 자신을 표현하는 형용사를 "게으른"으로 선택함.

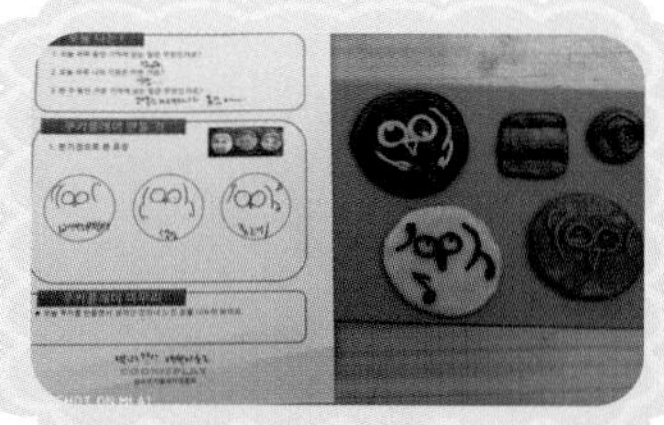

2차시 표정삼총사에서는 1교시가 시작되었을 때(붉은 바탕), 수업중(파랑 바탕), 종례(흰 바탕)의 세 가지 표정을 표현함.

4차시 가족에 대한 상징적인 표현을 아버지는 술병, 엄마는 편지, 동생은 닭을 좋아해서 닭다리로 표현함.

프리한 (1학기 5~6차시)

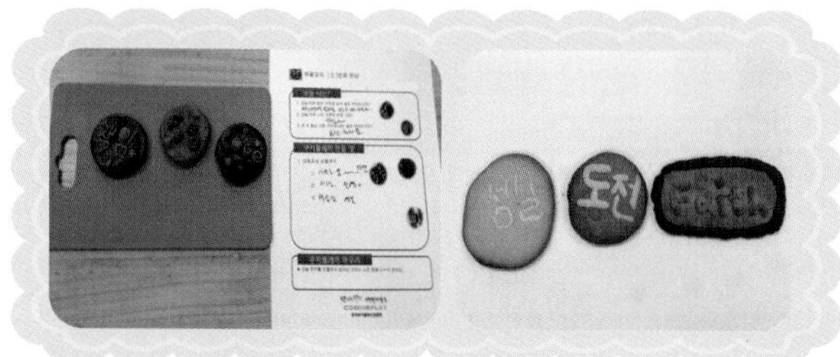

5차시에서 집단원들에게 성실, 믿음, 도전을 선물 받음.

6차시 꿈피자에서는 자유롭게 살고 싶고 자유로운 생각과 마음을 표현함.

프리한 (2학기 2~3차시)

2학기 2차시

비는 구슬비고 특이하게 화분을 표현함. 비가 우산에 맞으면 밑으로 떨어지는 모습을 생동감 있게 표현함.

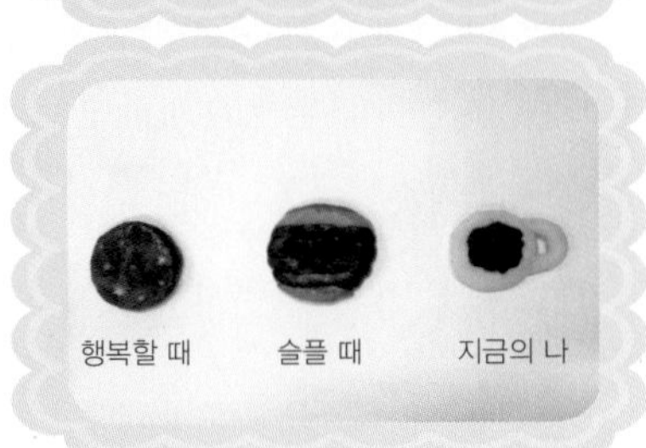

2학기 3차시

행복할 때는 밤하늘 보는 것, 힘들 때는 방학 때 몸이 안좋아서 쓰러진 적이 있는데 그 순간 눈앞에 보인 화면을 표현함.
그때의 느낌이 너무 안 좋았다고 함. 지금은 이디야에서 파는 쵸코쿠키, 셰이크가 먹고 싶다며 그것을 형상으로 표현함.
오늘은 심플하게 표현하고 싶었다고 함.

프리한 (총 7회기) 총평

대상 학생의 특징

- 표현력과 창의성이 뛰어나며 고르게 색을 사용하는 편임. 자신의 감정이나 생각을 솔직 하고 자유롭게 표현함.

- 좋고 싫고가 뚜렷한 내담자로 스트레스 상에서도 여유로움을 갖고 자기만의 길로 나아갈 수 있는 외유내강형.

프로그램 전후 학생 변화

- 예민한 면도 있지만 직관력도 뛰어나 집단원들에게 예리한 피드백도 잘 해주며 예술적인 감각이 있음.

4. 개인별 분석

반전 있는 (2학기 1~6차시)

2학기 1차시

사과나무를 갖고 싶어서 만들었으며, 버섯 모양의 집을 표현함. 사람을 당근 모양처럼 표현했지만, 사실은 가장 싫어하는 색이 주황색이며 싫어하는 음식이 당근이라고 함. 가장 싫어하는 것들로 표현해 보는 반전을 시도해 보고 싶었다고 함.

2학기 2차시

비 오는 날도 싫고 비 맞는 것을 싫어하지만 넓은 잎 모양의 큰 우산을 쓰고 우비까지 입은 상태에서 비오는 날을 즐겨보고 싶은 마음을 표현했다고 함.

2학기 3차시

행복할 때는 사랑받을 때(관심), 힘들 때는 그렇지 않을 때(무관심, 불편한 시선), 지금의 상태는 …(예전의 느낌들)으로 표현함.

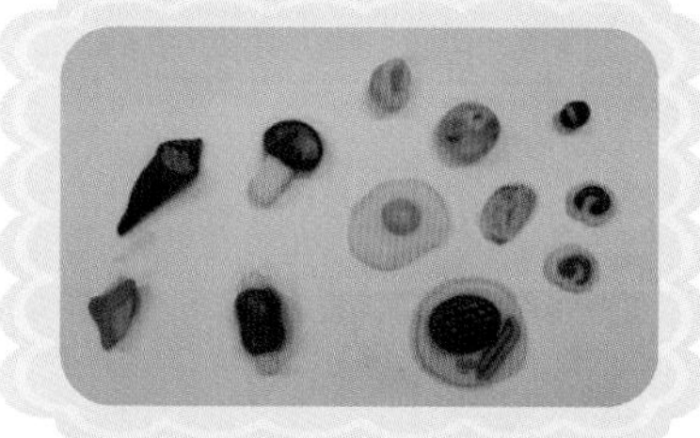

2학기 4차시

자신이 좋아하는 계란, 스테이크, 뒤집어서 만든 만두, 생고기, 유부초밥, 마끼, 초코송이, 롤케이크 등을 가득 만들었음. 다이어트 중이라 좋아하지만 현재는 자제하는 음식들을 표현했다고 함.

2학기 5차시

처음에는 정원을 표현하려 했으나 좀더 생산적인 것을 표현하고 싶다며 농장으로 변경해서 풍차, 당근, 꽃 등으로 주변을 표현함.

2학기 6차시

10년 뒤 여행하면서 바다에서 별이 진짜 많은 밤하늘을 바라보며 캔버스에 풍경을 그리고 있는 자신의 모습을 상상해서 표현함.

반전 있는 (총 6회기) 총평

대상 학생의 특징

- 솜씨가 좋아서 원하는 것들을 잘 표현해 내는 내담자로 색을 골고루 잘 사용함.
- 자신만의 스타일이 있지만 이번 집단 상담을 통해 자신의 스타일만 고집하지 않고 변화시켜 보려는 노력도 보임.

프로그램 전후 학생 변화

- 늘 실리적인 것을 따지지만 실제로 좋아하고 잘 하는 것은 그림 그리기나 만들기 등 예술적인 분야가 많음.
- 색감을 분석하는 능력이 뛰어 나고 상황판단도 빨라 집단원들에게 정확한 피드백을 잘 해줌.

4. 개인별 분석

천진한 (2학기 1, 2, 4차시)

2학기 1차시

동화 속 성 같은 집을 만들었으며 열매 있는 나무와 구름을 표현함.

2학기 2차시

먹구름을 표현하고 큰 비라고 하였지만 무지갯빛 우산을 쓰고 꽃도 피고 사랑도 넘치는 풍경으로 표현함.

2학기 4차시

연어초밥과 초콜릿, 쿠키 등을 만들면서 계속 배고프다고 함.
사실 제일 먹고 싶은 것은 삼계탕인데 표현을 못해서 만들지 못했다며 아쉬워함.

천진한 (총 3회기) 총평

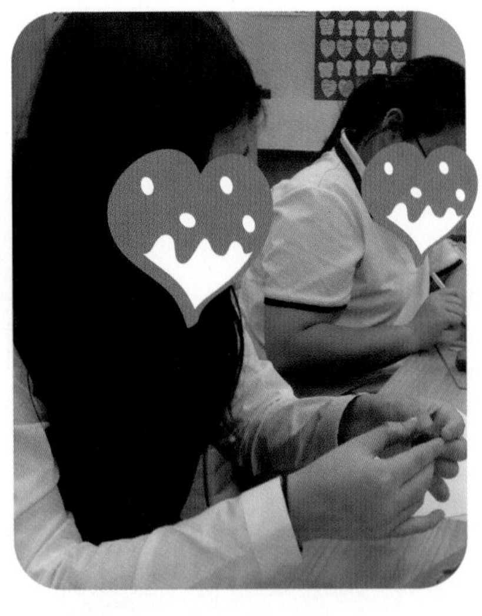

대상 학생의 특징

- 구름을 좋아해서 작품에 꼭 구름을 만들어서 표현함. 색감은 밝은 계열을 사용하고, 외로운 것을 싫어하는 표현들이 보임.

- 주변 친구들이 만든 것을 보면서 잘 만든다고 부러워하며 자신도 따라서 만들어 보려고 노력하는 모습을 보임.

프로그램 전후 학생 변화

- 2학기 초에 중국에서 전학을 온 내담자로 학교에 적응하기 위해 노력하고 있음.

- 마음이 순수하고 여린 내담자로 만드는 것보다 친구들과 함께 하는 것을 좋아함.

1학기 참여자

2학기 참여자

5. 상담자 평가

1. 운영시간이 짧아서 쿠키를 바로 구워서 가져가지 못함.

2. 학교일정 및 학생들의 일정에 따라 회차별 간격이 커지는 경우가 발생함.

3. 1, 2학기로 나누어서 운영하여 대상자들이 변경됨.

4. 쿠키플레이 보다는 쿠키테라피 쪽에 초점을 맞췄음.

5. 상담자 피드백보다 내담자들이 서로 느끼는 감정과 생각을 나누면서 집단의 역동과 자신을 돌아보게 됨.

6. 집단원들이 자신의 내면을 인식하고 자연스럽게 표현하면서 자존감 향상 및 대인관계가 향상됨.

cookie

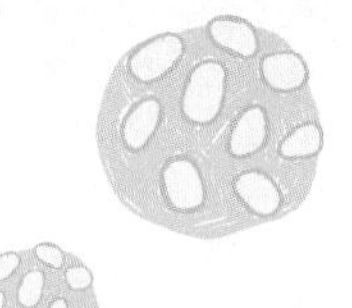

D초등학교 사례

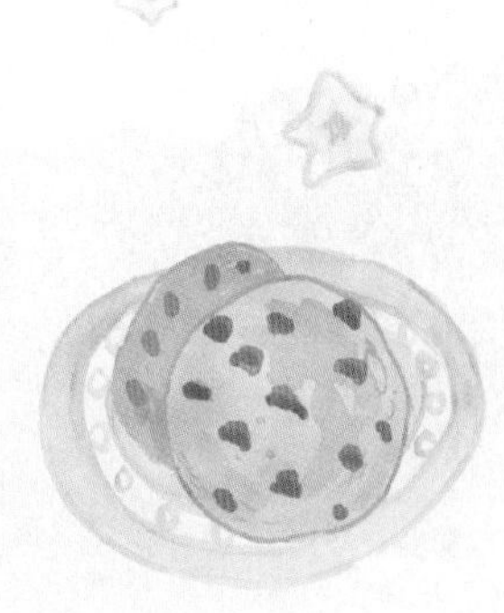

1. 쿠키플레이 상담 설계

2. 차시별 프로그램 계획안

회 기	12회기	정 원	11 명	참석인원	8 명	지도자	조성연
일 시	2018년 4월 17일 ~ 7월 24일 화요일 14:50 - 16:50			장 소	K구 소재 D초등학교		
대 상	복지대상어린이 4~6학년 (남자어린이:4명, 여자어린이:7명)						
활동 목표	1. 재미있는 요리놀이를 통해 교육적 접근. 2. 쿠키플레이 전 과정을 통해 심리상태 분석 및 표출. 3. 함께 하는 학생들끼리의 친밀감 생성, 감정의 순화, 정서적 안정.						

3. 쿠키플레이 수업계획서

회기	주제	활동내용	기대효과	도구
1	멋진 내이름 (문자쿠키)	• 자신을 소개하고, 쿠키 반죽 탐색의 시간을 가져본다. • 자신을 사랑하는 마음으로 이름쿠키를 예쁘게 꾸며서 만들어 본다. • 자신의 이름을 꾸미는 작업을 통해 자신의 소중함을 인식할 수 있다.	자기감정 인식, 흥미, 안정감	쿠키생지, 오븐
2	오늘 하루는 어땠나요? (색채검사포함) (형상쿠키)	• 본인 얼굴표정을 만들어보면서 평소 자신이 어떠한 표정과 감정을 가지고 있는지 생각해보고 부모님의 평소 표정을 만들어보면서 부모님에 대한 자신의 감정을 생각해본다. • 색채검사를 통하여 색깔을 나열해봄으로써 스스로에 대한 생각과 주변인들의 생각을 관찰해본다.	자기감정 인식, 흥미, 안정감	쿠키생지, 오븐
3	재미있는 마블쿠키 (추상쿠키-마블)	• 좌(左)뇌를 사용하여 마블쿠키를 만들어 봄으로써 감정을 발산하는 과정을 경험하고 2차 성형을 통해 낙인감을 없애고 쿠키부페를 통해 나눔을 배운다.	자기감정 인식, 흥미, 성취감	쿠키생지, 오븐
4	행복한 나의 집 (바탕쿠키)	• 가족들과 가장 행복했을 때가 언제인지를 쿠키로 표현해봄으로써 가정 분위기 및 가족을 바라보는 본인의 생각을 엿볼 수 있다.	자기감정 인식, 흥미, 안정감	쿠키생지, 오븐
5	동물가족 (형상쿠키)	• 가족은 한 집에서 함께 사는 사람이라는 개념으로 인식하도록 한다. • 가족을 돌물로도 표현해 보며 가족구성원의 상격을 알 수 있다.	자기감정 인식, 흥미, 성취감	쿠키생지, 오븐
6	고함쟁이 엄마 (독후쿠키) (문자쿠키, 형상쿠키)	• 화난 엄마의 표정을 생각해 보고 쿠키로 표현해 본다. • 엄마가 화가 났을 때의 이유를 이야기해 보고 나의 기분을 이야기해 본다.	자기감정 인식, 흥미, 성취감	쿠키생지, 오븐

회기	주제	활동내용	기대효과	도구
7	사과쿠키 (문자쿠키, 형상쿠키)	• 평소 나와 관계가 좋지 않은 친구를 생각해보고 사과쿠키를 만들어 본다. • 그 친구에게 쿠키를 주며 어떤 이야기를 나누고 싶은 지 이야기해 본다.	자기감정 인식, 흥미, 안정감	쿠키생지, 오븐
8	대왕 피자 만들기 (문자쿠키, 형상쿠키, 바탕쿠키)	• 내가 좋아하고 싫어하는 것을 토핑으로 만들어 피자에 올린다. • 친구들과의 협동심을 기르고 친구들의 기호도를 살펴 볼 수 있다.	자기감정 인식, 흥미, 성취감	쿠키생지, 오븐
9	칭찬 메달쿠키 (문자쿠키/아이싱, 형상쿠키/찍기)	• 내가 자랑스러운 점, 뿌듯했던 일을 생각해본다. • 만든 쿠키에 대해 소개하고 자신에게 칭찬을 해주며, 자신감을 북돋아 줄 수 있다. • 메달을 수여식을 해본다.	자기감정 인식, 흥미, 안정감	쿠키생지, 오븐
10	내가 만약 무인도에 간다면? (문자쿠키, 형상쿠키)	• 이번 여름 내가 만약 무인도에 가게 된다면... 무인도에 가지고 가고 싶은 것 3가지와 꼭 데리고 가고 싶은 사람 1명과 현재 가장 감사하다고 생각하는 것이 무엇인지 생각해보며, 평소 가장 소중하게 여기는 사람은 누구인지..현재 감사하게 여기고 있는 점이 무엇인지 돌아 볼 수 있는 시간.	자기감정 인식, 흥미, 성취감	쿠키생지, 오븐
11	소리괴물 (독후쿠키) (문자쿠키, 형상쿠키)	• 서로의 이야기를 듣지 않아 그 말들이 떠돌아 다니다가 소리괴물로 변하는 책 • 나의 이야기를 가장 잘 들어주는 사람을 생각해보고 나는 어떤 말들을 자주하는지 생각해본다. 나는 친구의 이야기를 잘 들어주고 있는지 생각해보며 쿠키로 나만의 소리괴물을 만들어본다.	자기감정 인식, 흥미, 성취감	쿠키생지, 오븐
12	꿈동산 (바탕쿠키)	• 미래의 나의 꿈을 생각해보고 쿠키로 표현해 본다. • 꽂이 쿠키를 머핀에 위에 꽂아 장식해 보고 나의 꿈에 대해 이야기 해 본다.	자기감정 인식, 흥미, 성취감	쿠키생지, 오븐

4. 학생별 보고서(색채검사지와 부모수퍼비전 결과지 포함)

● 이** (초4)

Theme ADHD

특 징 수업시간에 산만하며 의자에 가만히 앉아 있는 시간이 적음. 화장실 가는 것을 무서워함.

1회차

주제: 네임쿠키
본인 이름만 표현하고
좋아하는 사람, 싫어하는 사람 이름은 안 만듦.

4회차

주제: 행복한 나의 집
엄마와 강아지랑 소파에서 TV 시청

5회차

주제: 동물가족
아빠: 고양이, 엄마: 토끼, 나: 강아지

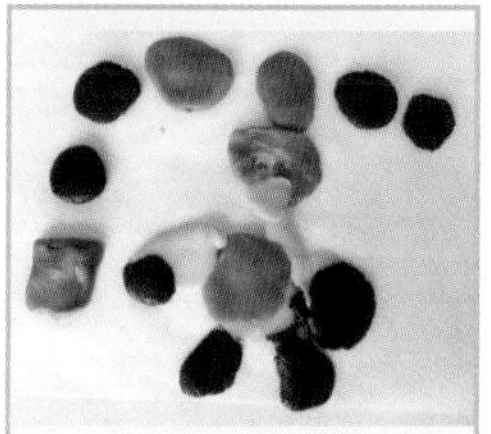

6회차

주제: 고함쟁이 엄마
가장 듣고 싶은 말: **이 최고다

8회차

주제: 대왕피자

좋아하는 것: 칭찬, 떡볶이, 라면, 순대

싫어하는 것: 혼내는 것, 공부, 순대, 벌

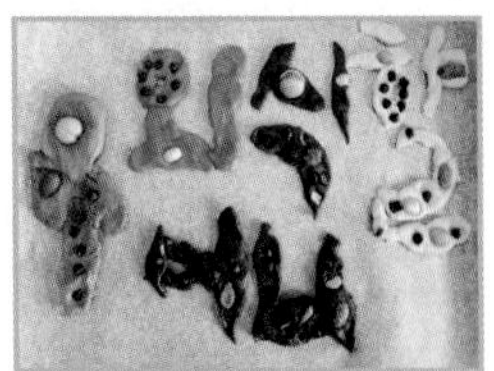

10회차

주제: 소리괴물

이야기를 가장 잘 들어주는 사람: 할머니

자주하는 말: 외식

12회차

주제: 꿈동산

요리사

이** (초4) 색채검사지

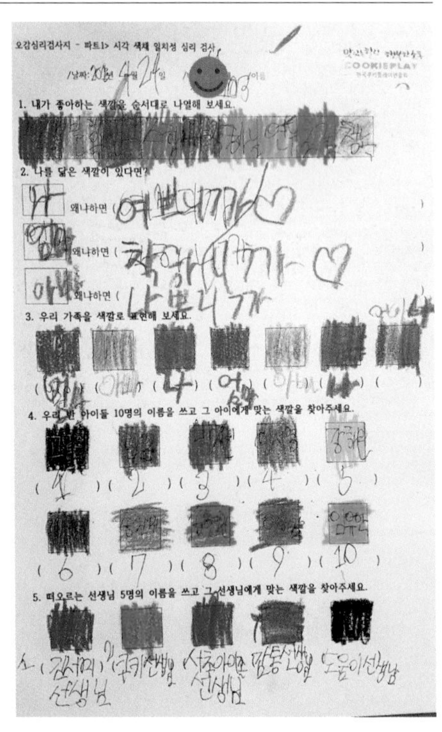

오감심리검사지 - 파트1> 시각 색채 일치성 심리 검사

1. 내가 좋아하는 색깔을 순서대로 나열해 보세요.

2. 나를 닮은 색깔이 있다면?

왜냐하면 ( )

왜냐하면 ( )

왜냐하면 ( )

3. 우리 가족을 색깔로 표현해 보세요.

4. 우리 반 아이들 10명의 이름을 쓰고 그 아이에게 맞는 색깔을 찾아주세요.

5. 떠오르는 선생님 5명의 이름을 쓰고 그 선생님에게 맞는 색깔을 찾아주세요.

1) 내가 좋아하는 색깔 순서
빨강, 분홍, 핑크, 주황, 파랑

2) 나를 닮은 색깔이 있다면?
나 – 예쁘니깐, 엄마 – 착하니까, 아빠 – 나쁘니까

3) 가족 색깔
엄마 – 빨강, 아빠 – 핑크, 나 – 빨강

4) 반 아이들과 선생님 이름 – 모두 기입

5) 빨간색을 좋아하는 이 학생은 에너지가 넘치고 기력이 충실하고 활기가 넘치며 적극적 행동을 하며 힘찬 활력이 넘친다. 빨간색은 조화롭고 아름답게 칠했을 때는 애정의 표현이기도 하며 거칠게 칠해졌을 때는 적대감과 공격성을 표시하며 산만한 모습으로 움직이는 경향이 있다.
두번째 핑크색을 좋아하는 것을 살펴보면 겉으로는 온화, 조화를 외치지만 속마음은 상당히 승부에 대한 열의로 가득 차 있는 성격으로 보인다.

이** (초4) 부모 수퍼비전 결과지

프로그램명	D초 부모상담	진 행 자	수퍼바이저 안미진
일 시	2018. 07.27. 금요일	장 소	D초등학교

진행내용	
이**	**상담 내용** 한 부모 가족으로 어머니가 혼자 기르고 있음. 어머니가 온유하신 성격으로 **에 대한 질문에 대하여 편하게 개방을 하심. ADHD를 치료중이고 자주 경기를 일으켰고 내전 증 내파의 오른쪽에 경기를 일으키는 뇌파진단을 받아 약을 복용중임. 전두엽 손상이 일부 있어 서울대학 병원에 치료를 받고 있고 전반적으로 현재 한부모 가정으로 받는 혜택으로 사회성치료와 미술치료 놀이치료 등을 병행하고 있다고 함. 엄마가 아들을 사랑하는 마음이 느껴짐. 본인이 바빠서 아들에게 못한 것에 대한 스스로의 자책이 있었음. 넉넉하지 못한 형편에도 어머니는 아들이 2학년 때 일을 그만두고 같이 여행도 다니고 학교도 데리고 다니고 함께 하려고 많이 애썼고 그로 인해 아들이 그때 조금 나아짐을 느꼈다고 함. 화장실에 대해서 쿠키플레이 상담을 통해서 무섭다고 한 부분에 대해서 상담을 진행함. 그럴 것 같다고 바로 이야기를 해줌. 어린이집에서 똥을 싼 적이 있었는데 그때 학대를 받은 것 같다고 추측하시 며 정황을 이야기하심. 그 후에 화장실에 대한 무서움은 지금도 지속하고 있어서 한동안은 화장실을 혼자 못 가고 특히 변기에 앉는 것도 두려워해서 기저귀를 사용했고 엄마가 손을 잡고 같이 앉아 주고 있다고 함. **상담자 관점** 화장실에 대한 심한 트라우마가 있고, 그것은 배변 훈련이 안된 상태에서 이루어진 불안감 거기에 어머니까지 알고 계신 어린이집 학대가 큰 영향으로 자리잡은 것으로 보임. 이 부분에 대한 트라우마 치료가 보다 더 적극적으로 필요함. **이는 특히 쿠키플레이를 하면서 8회기 이후에 상당히 좋아지는 호전성을 보임. 요리사가 꿈이고 무엇을 만드는 것이 좋은 아이이기에 쿠키플레이적 치료가 좋은 영향을 줄 수 있을 것으로 보여짐. 전반적으로 쿠키플레이 과정을 보면 마음이 따뜻한 아이로서 보살펴 주시는 할머니에 대한 감사함을 알고 있음. 어머니가 아들에 대한 치유의 의지가 보임. **기타** 이 가정은 지속적인 관찰과 보호가 사회적 차원에서 학교적 차원에서 이루어져야만하는 구조임. 어머니의 의지는 있으나 한가족 가족으로 한계가 있음. 이 학생의 경우는 쿠키플레이 상담이 특히 더 좋은 영향을 줄 것으로 보임.

4. 학생별 보고서(색채검사지와 부모수퍼비전 결과지 포함)

● 이** (초4)

Theme	화가
특 징	꼼꼼하며 섬세하고 창의력이 뛰어나며 고집이 센 편. 약간의 폭력성을 보일 때가 있다.

1회차

주제: 네임쿠키

좋아하는 사람: 엄마

싫어하는 사람: 이**

2회차

주제: 오늘 하루는 어땠나요?

나의 얼굴: 웃고 있음, 엄마: 웃고 있음, 아빠: 무표정

4회차

주제: 행복한 나의 집

가장 행복했을 때: 엄마, 삼촌, 언니, 사촌과 서울랜드 갔을 때

5회차

주제: 동물가족

아빠: 곰

엄마: 토끼

나: 병아리

아빠는 **이가 태어나기 전에 돌아가심

8회차

주제: 대왕피자

좋아하는 것: 강아지, 토끼, 병아리, 꽃

싫어하는 것: 욕, 체육, 모기, 벌레, 화

9회차

주제: 칭찬 메달 쿠키

나에게 칭판하고 싶은 말: 난 그림을 잘 그려

친구에게 칭찬하고 싶은 말: 너는 정말 만들기를 잘 해

12회차

주제: 꿈동산

의사, 디자이너

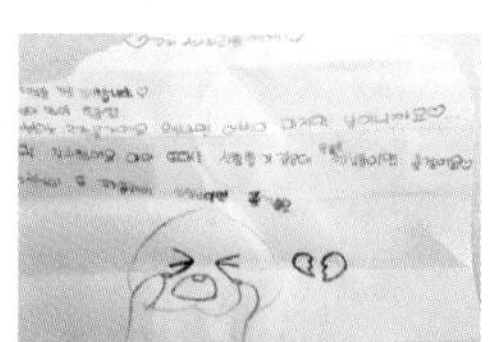

이** (초4) 색채검사지

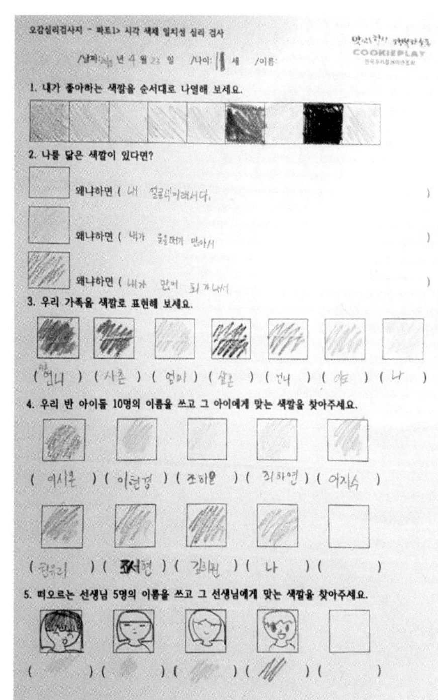

오감심리검사지 - 파트1> 시각 색채 일치성 심리 검사

COOKIEPLAY

/날짜: 년 4 월 23 일 /나이: 세 /이름:

1. 내가 좋아하는 색깔을 순서대로 나열해 보세요.

2. 나를 닮은 색깔이 있다면?

왜나하면 (내 얼굴색이래서다.)

왜나하면 (내가 울을때가 만아서)

왜나하면 (내가 많이 화가 나서)

3. 우리 가족을 색깔로 표현해 보세요.

(언니) (사촌) (엄마) (삼촌) (언니) (이모) (나)

4. 우리 반 아이들 10명의 이름을 쓰고 그 아이에게 맞는 색깔을 찾아주세요.

(   ) (   ) (   ) (   ) (   )

(   ) (   ) (   ) (나) (   )

5. 떠오르는 선생님 5명의 이름을 쓰고 그 선생님에게 맞는 색깔을 찾아주세요.

(   ) (   ) (   ) (   ) (   )

1) 내가 좋아하는 색깔 순서
   주황, 노랑, 하늘, 파랑, 연두

2) 나를 닮은 색깔이 있다면?
   살색: 내 얼굴색이라서
   하늘: 내가 울 때가 많아서
   빨강: 내가 많이 화가 나서

3) 가족 색깔
   사촌언니 – 빨강, 사촌 – 빨강, 엄마 – 연두,
   검정 – 삼촌, 파랑 – 언니, 노랑 – 이모, 나 – 살색

4) 주황색을 좋아하고 감수성이 좋고 예민한 편이며 창의력과 표현력이 강하고 인내력이 있어 추리력과 순발력이 좋은 편이고 좋아하는 것만 하려는 경향을 보인다.
두번째 노란색을 좋아하는 것을 살펴보면 진취적 경향이 풍부하고 모든 일에 적극적인 자세를 보이며 한가지 목적을 위해서 화살처럼 전진해 나가는 성격의 소유자로 보인다. 즉 자신의 주장을 잘 표현하고 소신이 강한 편이다. 특이한 점은 선생님란에 얼굴의 특징을 자세히 묘사.

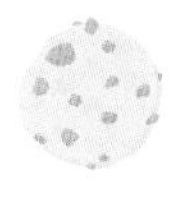

이** (초4)　부모 수퍼비전 결과지

프로그램명	D초 부모상담	진 행 자	수퍼바이저 안미진
일 시	2018. 07.27. 금요일	장 소	D초등학교

진행내용	
이*람	상담 내용 **에게 잠재된 폭력성이 보인다고 이야기 했을 때 어머니가 친척들과 살고 있다고 이야기 함. 그래서 친척 오빠들로부터 거칠게 당하고 있다고 함. 그 부분을 인지하고 있으면 같이 안 살면 안되냐고 상담자가 질문하자. 같이 살 수 밖에 없다고 함. 상황이 그렇다고 이야기하심. 상담자 관점 친척 오빠에게 맞거나 놀림을 당하는 데도 같이 안 살면 안된다고 이야기를 한 것을 보면 상황적으로나 심리적으로나 억압된 환경에 노출되고 있음을 보여줌. 기타 관점 가족 형태가 불안전하고 거주 환경에 좋은 영향을 주고 있지 않으며 어머니 상담이 필요한 것으로 보이고 은성이 또한 지속적 상담과 지원이 필요한 것으로 보임.

4. 학생별 보고서(색채검사지와 부모수퍼비전 결과지 포함)

● 김** (초5)

Theme	꼼꼼쟁이
특 징	손재주가 남다르고 꼼꼼하며 다소 우울기질의 성향을 가지고 있는 것으로 보임

1회차

주제: 네임쿠키

좋아하는 사람: 엄마

싫어하는 사람: 정**

2회차

주제: 오늘 하루는 어땠나요?

나의 얼굴: 무표정, 엄마: 많이 화냄, 아빠: 잘 웃어줌

5회차

주제: 동물가족

아빠: 팬더곰, 엄마: 사자, 나: 토끼

6회차

주제: 고함쟁이 엄마

엄마가 많이 하는 말: 공부해

엄마한테 듣고 싶은 말: 사랑해

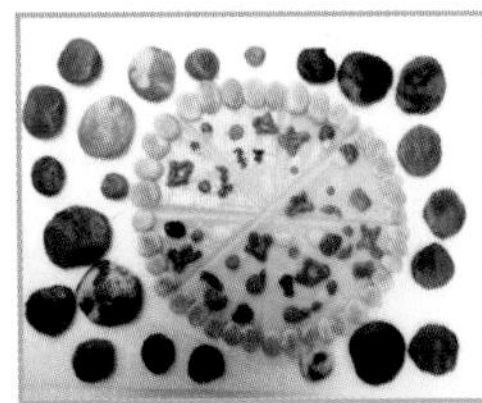

8회차

주제: 대왕피자쿠키

좋아하는 것: 체리 ,햄, 사탕, 체육

싫어하는 것: 강아지, 고양이, 공부, 당근

9회차

주제: 칭찬메달쿠키

나에게 칭찬하고 싶은 말: 잘했어, 참 잘했어

친구에게 칭찬하고 싶은 말: 와~ 아주 잘하네

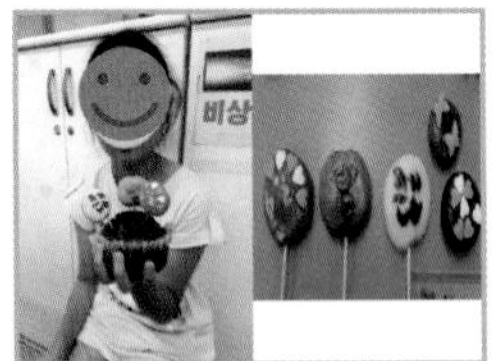

12회차

주제: 꿈동산

가고 싶은 곳: 일본, 갖고 싶은 것: 큰집

해보고 싶은 것: 롤러코스터 타기

김** (초5) 색채검사지

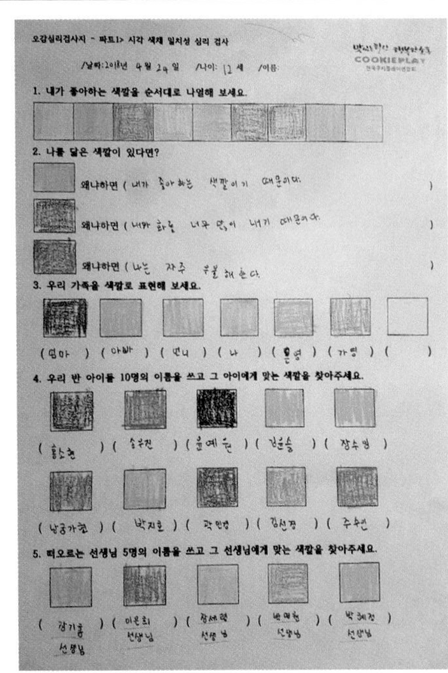

오감심리검사지 - 파트1> 시각 색채 일치성 심리 검사

COOKIEPLAY

/날짜:2018년 4월 24일 /나이: 12 세 /이름:

1. 내가 좋아하는 색깔을 순서대로 나열해 보세요.

2. 나를 닮은 색깔이 있다면?

왜냐하면 (내가 좋아하는 색깔이기 때문이다.)

왜냐하면 (내가 화를 너무 많이 내기 때문이다.)

왜냐하면 (나는 자주 우울해 한다.)

3. 우리 가족을 색깔로 표현해 보세요.

(엄마) (아빠) (언니) (나) (은영) (가영) ( )

4. 우리 반 아이들 10명의 이름을 쓰고 그 아이에게 맞는 색깔을 찾아주세요.

5. 떠오르는 선생님 5명의 이름을 쓰고 그 선생님에게 맞는 색깔을 찾아주세요.

1) 내가 좋아하는 색깔 순서

하늘, 연두, 파랑, 핑크, 노랑

2) 나를 닮은 색깔이 있다면?

하늘-내가 좋아하는 색깔이라서, 빨강-내가 화를 너무 많이 내서

파랑-나는 자주 우울해한다.

3) 가족 색깔

엄마-보라, 아빠-노랑, 언니-하늘, 나-하늘, 은영-노랑, 핑크-가영

4) 하늘색을 좋아하고 예술성이 뛰어나고 창의력이좋으며 자신의 기분을 자유롭게 표현하지만 가끔 긴장을 푸는 일을 어렵게 생각할 수 있다. 두번째로 연두색을 좋아하는 것을 살펴보면 사람 앞에 나서기를 꺼려해 남들과 친숙하게 지내는 편은 어려운 것으로 보인다. 반 아이들과 선생님 모두 기입하며 전체적인 느낌으로 보아 차분하고 꼼꼼한 성격. 반면 엄마를 보라색으로 표현한 것으로 보아 엄마의 우울 기질을 엿볼 수 있다.

김** (초5) 부모 수퍼비전 결과지

프로그램명	D초 부모상담	진 행 자	수퍼바이저 안미진
일 시	2018. 07.27. 금요일	장 소	D초등학교

진행내용	
김정*	**상담 내용** **가 요즘 성적이 올랐다는 것에 대해서 어머니가 상당히 고무되어 있고 그 점을 자랑하면서 상대적으로 동생은 그렇치 않다고 불만을 호소함. 단 요즘 **가 아빠를 싫어하는 것 같다. 그래서 아빠랑 같이 왔다고 하심. 사춘기가 온 것 같다고 하심. 아빠는 상담 중 많은 말씀을 안하시고 정아가 혹시 본인을 싫어하는지 궁금하다면서 아닐 것 이라고 믿는 다는 말을 함. 과묵하게 앉아 있음. 실제 쿠키플레이를 통해서 아이들은 어머니에 대한 애정을 표현하기도 했지만 엄마가 화를 많이 낸다는 것에 대한 호소가 있었다. 본인의 감정에 표현에서 우울이라는 단어를 사용한다. 아빠에 대한 부분은 전반적으로 지지로 나타났다는 것을 이야기 나누었다. 아빠가 안도하심. **상담자 관점** 이 가정은 **와 동생은 둘째 셋째로 큰 아이의 가출이 트라우마로 남아 있음. 큰 아이가 있으면 남은 아이들에게 나쁜 영향을 준다고 말함. 엄마는 공부에 대한 상당한 관심이 있음. 그래서 밤새워 학습지를 풀리기도 했다고 함. 그 부분을 자랑처럼 이야기하심. 공부에 부분이 집착으로 보일 정도로 어머니의 관심이 있음. 상담자는 이점을 직면하도록 그 간의 상담 내용을 바탕으로 이야기를 해 줌. 아버지가 과묵한 중에도 그 부분을 인지하고 있음이 보임. 이날 이 부부가 함께 상담을 온 것이 좋은 상황을 만들어 주었음. **기타 관점** 우울의 기질이 보임. 지속적인 상담이 요구되며 부모 상담도 함께 하는 것을 권장함.

4. 학생별 보고서(색채검사지와 부모수퍼비전 결과지 포함)

● 박** (초5)

Theme 모범생

특 징 차분하면서도 밝은 성격을 가지고 있으며
정서적으로 안정되어 있음.

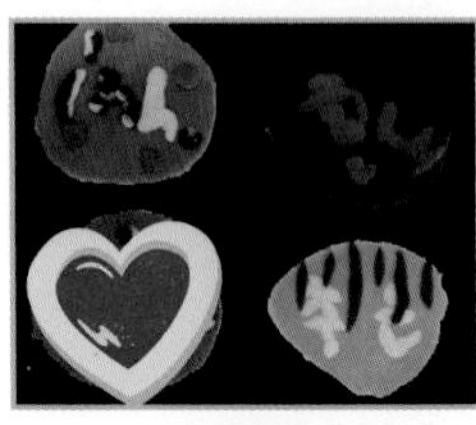

1회차

주제: 네임쿠키
좋아하는 사람: 동생
싫어하는 사람: **

4회차

주제: 행복한 나의 집
가장에서 행복했을 때: 가족들과 캠핑가서 웃고 있을 때

6회차

주제: 고함쟁이 엄마
엄마가 많이 하는 말: 우리 강아지 , 린아
엄마에게 듣고 싶은 말: I love you

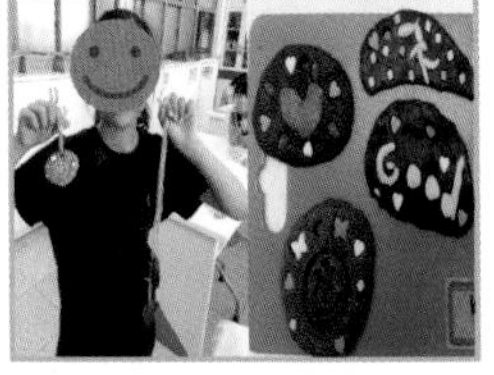

9회차

주제: 칭찬메달쿠키
피아노 선생님께 메달을 매달아 드릴 예정

10회차

주제: 내가 만약 무인도에 간다면?

가지고 가고 싶은 것: 집, 공짜마트, 전기대

함께 가고 싶은 사람: 아빠, 현재 감사한 점: 살아있는 것과 내가 태어난 것

11회차

주제: 소리괴물

나의 이야기를 잘 들어주는 사람: 엄마, 아빠

자주 하는 말: 외식해요

12회차

주제: 꿈동산

가고 싶은 곳: 천국, 갖고 싶은 것: 여동생, 해보고 싶은 것: 롤러코스터타기,

되고 싶은 것: 스튜어디스, 드라큘라, 어린이집 교사

박** (초5) 색채검사지

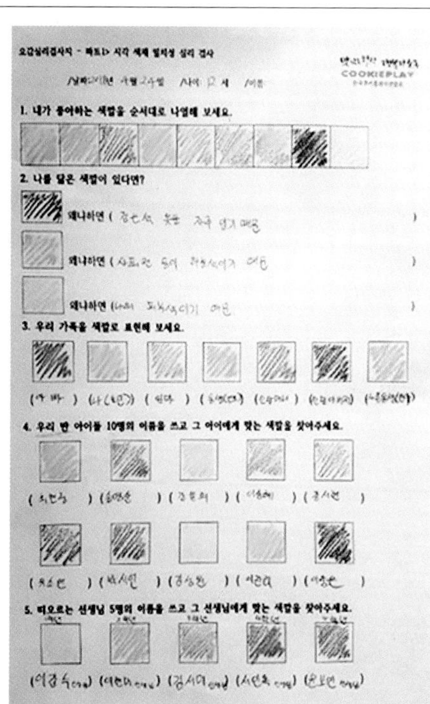
COOKIEPLAY

1. 내가 좋아하는 색깔을 순서대로 나열해 보세요.

2. 나를 닮은 색깔이 있다면?

왜냐하면 ( )

왜냐하면 ( )

왜냐하면 ( )

3. 우리 가족을 색깔로 표현해 보세요.

4. 우리 반 아이들 10명의 이름을 쓰고 그 아이에게 맞는 색깔을 찾아주세요.

5. 떠오르는 선생님 5명의 이름을 쓰고 그 선생님에게 맞는 색깔을 찾아주세요.

1) 내가 좋아하는 색깔 순서
하늘, 노랑, 보라, 연두, 핑크

2) 나를 닮은 색깔이 있다면?
검정-검은색 옷을 자주 입기 때문
하늘-샤프, 펜 등이 하늘색이기 때문
살색-나의 피부색이라서

3) 가족 색깔
아빠-파랑, 나-하늘, 엄마-핑크, 인호-연두

4) 하늘색을 좋아하는 **이는 여러사람들의 말을 들어주고 문제를 해결해 주는 성격으로 많은 친구들이 따르는 경향을 보인다. 내향적인 성격이지만 겉으로는 밝고 활달한 성격으로 보인다.
두번째로 노란색을 좋아하는 것을 살펴보면 진취적인 경향이 풍부하고 모든 일에 적극적인 자세를 보이며 창조성이 뛰어나 보인다. 반면 안심하고 어리광을 부리며 의존하고 싶은 애정의 욕구를 가지고 있을 수 있다. 전체적으로 보았을 때 모든 칸을 잘 기입하여 꼼꼼하고 차분한 모범생으로 보인다.

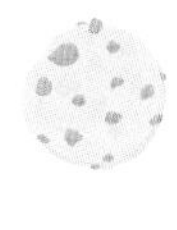

박** (초5) 부모 수퍼비전 결과지

프로그램명	D초 부모상담	진 행 자	수퍼바이저 안미진
일 시	2018. 07.27. 금요일	장 소	D초등학교

진행내용	
박**	상담 내용 엄마의 사랑이 느껴짐 잘하고 있음을 어머니도 알고 있다고 함. **이가 공부도 잘하고 여러 가지 측면에서 잘하고 있다고 생각함. 동생이 **이 같지 않음이 걱정이 된다고 이야기를 해주심. 전반적으로 자녀를 지지하고 있는 어머니의 모습 상담자 관점 이 가족은 전반적으로 부모와 자녀의 유대 관계가 잘 이루어진 가정으로 보여짐 특히 큰 아이인 **이에 대한 부모의 기대감과 신뢰가 있음. 상대적으로 둘째에 대한 관심 낮은 것으로 보임. 누나 같지 않아서 걱정으로 보고 있음. 기타 관점 상담 후 어머니는 동생에 대한 관심을 더 갖고자 노력을 할 것을 이야기 하면서 바로 아빠에게 이야기를 나누어야겠다고 함. 소통이 잘 이루어지는 가족으로 보임.

박** (초4) 색채검사지

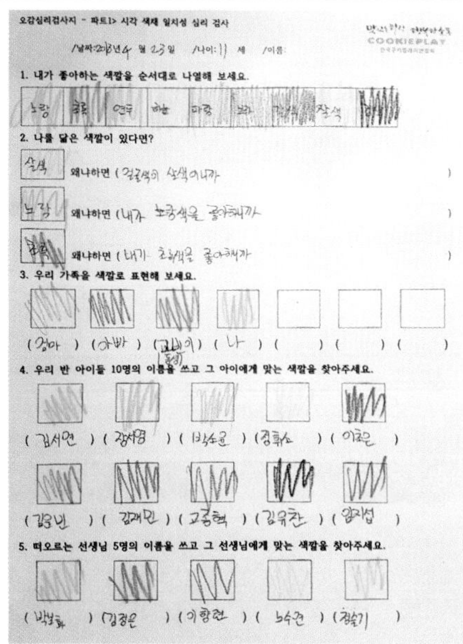
오감심리검사지 - 파트1> 시각 색채 일치성 심리 검사

/날짜: 년 월 일 /나이: 세 /이름:

1. 내가 좋아하는 색깔을 순서대로 나열해 보세요.

2. 나를 닮은 색깔이 있다면?

왜나하면 ( )

왜나하면 ( )

왜나하면 ( )

3. 우리 가족을 색깔로 표현해 보세요.

4. 우리 반 아이들 10명의 이름을 쓰고 그 아이에게 맞는 색깔을 찾아주세요.

5. 떠오르는 선생님 5명의 이름을 쓰고 그 선생님에게 맞는 색깔을 찾아주세요.

1) 내가 좋아하는 색깔 순서: 노랑, 초록,연두,하늘,파랑

2) 나를 닮은 색깔이 있다면?
살색: 얼굴색이 살색이라, 노랑: 내가 노란색을 좋아해서
초록: 내가 초록색을 좋아해서

3) 가족 색깔: 엄마 – 핑크, 아빠 – 보라, 동생 – 초록, 나 – 연두

4) 노란색을 좋아하는 **는 표면적으로는 명랑하고 사교적이지만 내면에서는 의존적 행동이 많으며 유아적 상태에 머무르려는 욕구 사이의 갈등을 지지고 있을 수 있다. 초록색을 두번째로 좋아하는 성향으로 보아 충동에도 잘 견디며 자기감정을 잘 조절 할 수 있고 행동적이며 자기만족적이고 주로 자기감정을 강하게 표현하지 않는 내향적 아동으로 보인다. 또한 감정의 결여나 회의적 경향이 있을 수 있고 가정환경이 엄격한 가정일 수 있다.

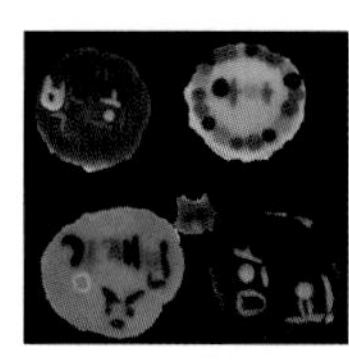

양** (초6) 색채검사지

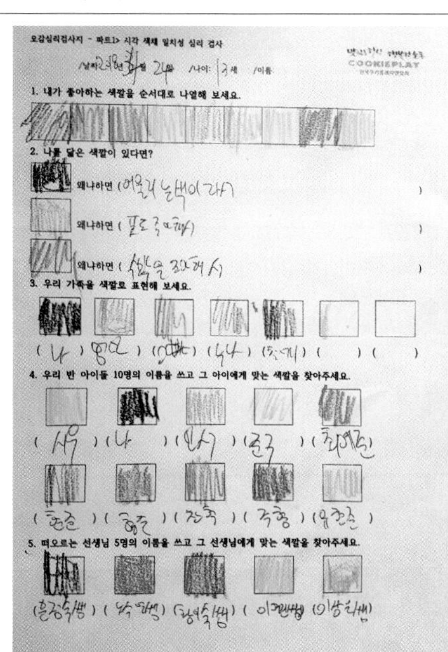
오감심리검사지 - 파트1> 시각 색채 일치성 심리 검사

/날짜: 년 월 일 /나이: 세 /이름:

1. 내가 좋아하는 색깔을 순서대로 나열해 보세요.

2. 나를 닮은 색깔이 있다면?

왜나하면 ( )

왜나하면 ( )

왜나하면 ( )

3. 우리 가족을 색깔로 표현해 보세요.

4. 우리 반 아이들 10명의 이름을 쓰고 그 아이에게 맞는 색깔을 찾아주세요.

5. 떠오르는 선생님 5명의 이름을 쓰고 그 선생님에게 맞는 색깔을 찾아주세요.

1) 내가 좋아하는 색깔 순서: 검정, 하늘, 초록, 노랑, 보라

2) 나를 닮은 색깔이 있다면?
검정: 어울리는 색이라서, 보라: 포도를 좋아해서
초록: 수박을 좋아해서

3) 가족 색깔: 나 – 검정, 엄마 – 핑크, 아빠 – 초록, 누나 – 보라,
할머니 –검정

4) 검정색을 좋아하고 본인을 검정색으로 표현한 정문이는 감정이나 정서가 억압되어 있을 수 있다.
두번째로 좋아하는 파란색을 살펴보면 차갑고 남성적인 면을 가지고 있는 성향일 수 있고 놀고 싶은 욕망을 강렬하게 억제 당하고 있어 반항하고 싶지만 뜻대로 되지 않는 상태일 수 있다.

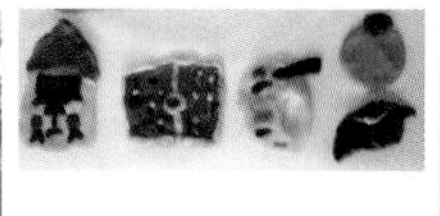

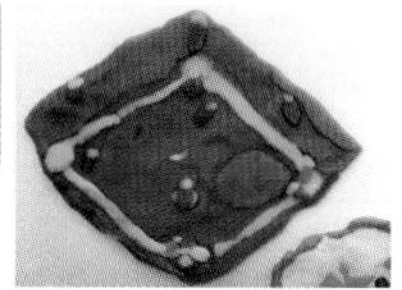

백** (초4) 색채검사지

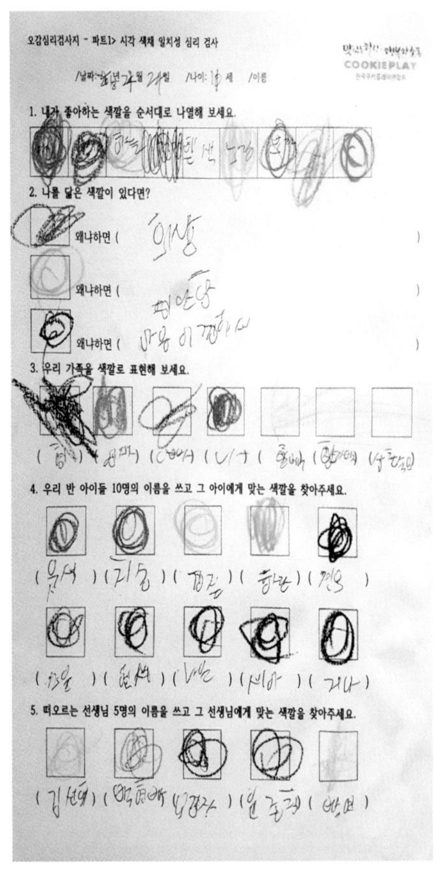

오감심리검사지 - 파트1> 시각 색채 일치성 심리 검사

COOKIEPLAY

/날짜: 년 월 일 /나이: 세 /이름

1. 내가 좋아하는 색깔을 순서대로 나열해 보세요.

2. 나를 닮은 색깔이 있다면?

왜냐하면 ( )

왜냐하면 ( )

왜냐하면 ( )

3. 우리 가족을 색깔로 표현해 보세요.

4. 우리 반 아이들 10명의 이름을 쓰고 그 아이에게 맞는 색깔을 찾아주세요.

5. 떠오르는 선생님 5명의 이름을 쓰고 그 선생님에게 맞는 색깔을 찾아주세요.

1) 내가 좋아하는 색깔 순서
파랑, 빨강, 하늘, 검정, 흰색

2) 나를 닮은 색깔이 있다면?
빨강 – 화남, 연두 – 편안함, 검정 – 마음이 검어서

3) 가족 색깔
형 – 검정, 엄마 – 초록, 아빠 – 보라, 나 – 빨강

4) 파란색을 좋아하는 **는 차갑고 남성적이며 놀고 싶은 욕망을 강렬하게 억제당하고 있어 반항하고 싶지만 뜻대로 되지 않는 상태라고 생각해 볼 수 있고 비교적 명랑한 성격의 아동으로 주위에 잘 적응하는 행동을 하는 것으로 보인다.
두번째로 빨강색을 좋아하는 것으로 보아 에너지가 넘치며 활기가 넘치는 아동으로 보인다. 전체적인 느낌을 보면 색칠이 엉성하고 꼼꼼하지 않으며 귀찮아하는 경향을 보임. 특히 친구들의 대다수를 검정색으로 칠하여 별로 좋아하지 않는 친구들을 표현한 것으로 보여진다.전체적으로 색칠이 엉성하고 귀찮아하는 경향을 보임.

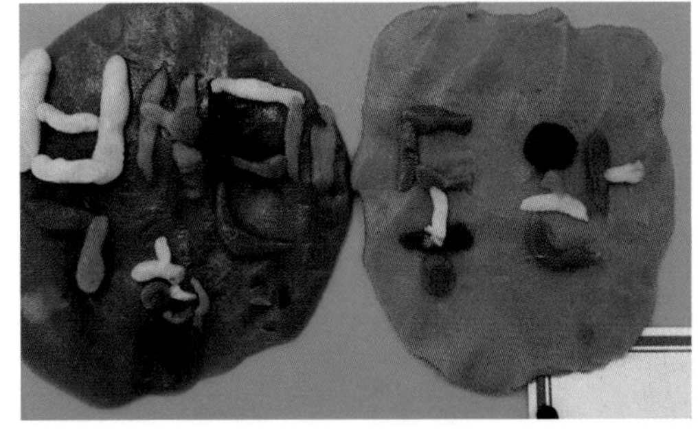

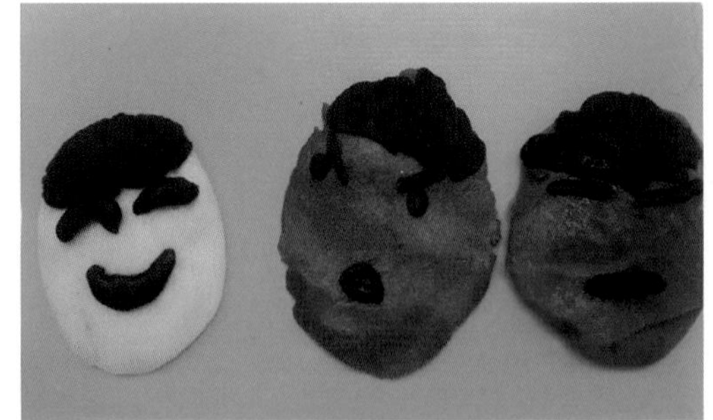

이** (초5) 색채검사지

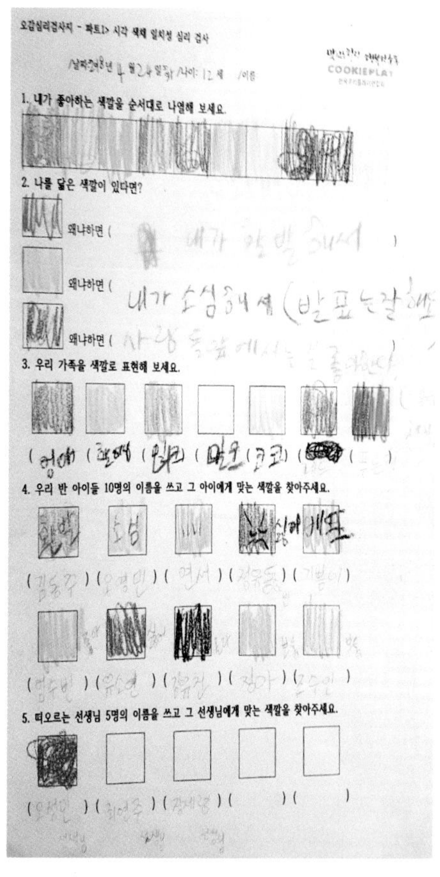
오감심리검사지 - 파트1> 시각 색채 일치성 심리 검사

/날짜 /나이: 12 세 /이름

1. 내가 좋아하는 색깔을 순서대로 나열해 보세요.

2. 나를 닮은 색깔이 있다면?

왜냐하면 ( )

왜냐하면 ( )

왜냐하면 ( )

3. 우리 가족을 색깔로 표현해 보세요.

4. 우리 반 아이들 10명의 이름을 쓰고 그 아이에게 맞는 색깔을 찾아주세요.

5. 떠오르는 선생님 5명의 이름을 쓰고 그 선생님에게 맞는 색깔을 찾아주세요.

1) 내가 좋아하는 색깔 순서
 주황, 핑크, 노랑, 빨강, 보라

2) 나를 닮은 색깔이 있다면?
 주황: 내가 활발해서
 하늘: 내가 소심해서(발표는 잘 해요)
 빨강: 사람들 앞에 서는 걸 좋아한다.

3) 가족 색깔
 엄마 - 핑크, 할머니 - 하늘, 나 - 핑크, 밀크 - 흰색

4) 주황색을 좋아하는 **는 직설적이고 활발하며 주위와 잘 적응하는 사회적 성격을 가지고 있고 공상적 놀이로 현실생활에서 도피하려는 성향으로 보인다.
두번째로 핑크색을 좋아하는 것으로 보아 매우 섬세하고 뛰어난 취향을 가지고 있으며 예술적 감각이 풍부하다. 하지만 표현력이 다소 부족하고 지구력이 약한 편으로 보인다. 특이한 점은 반 아이들의 색칠 위에 한 명 한 명의 성격을 사실적으로 적음.

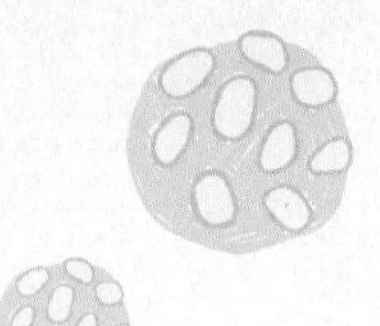

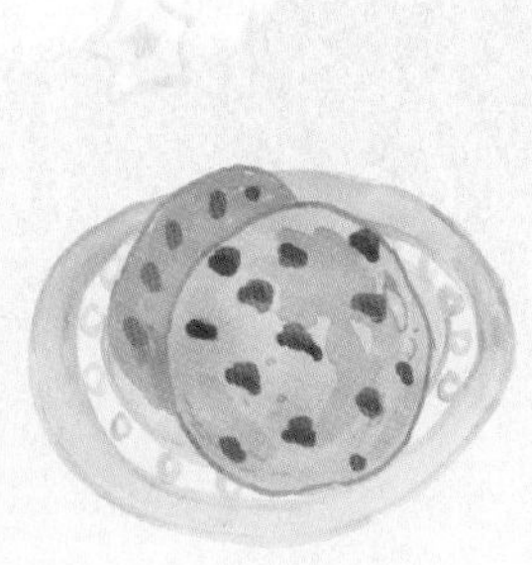

A초등학교

난독증, ADHD 학생과 함께한 쿠키테라피

1. 수업개요

회 기	6회기	정 원	명	참석인원	12 명	지도자	안미진
일 시	2018년 10월 ~ 12월 월요일 14:50 ~ 16:50			장 소	경기도 광명시 A초등학교		
대 상	디딤돌 대상 어린이 2~6학년						
활동 목표	1. 쿠키플레이를 통한 감정 나누기 2. 쿠키플레이 전 과정을 통해서 참여자와 관계 맺기 3. 참여자 간의 친밀감 생성, 감정의 순화, 정서적 안정						

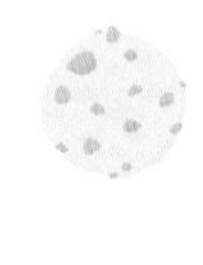

2. 쿠키플레이 수업계획서

회기	주제	활동내용	기대효과	도구
1	쿠키로 만들어 보는 이름 (문자쿠키-네임)	• 자신을 소개하고, 쿠키 반죽 탐색의 시간을 가져 본다. • 자신을 사랑하는 마음으로 이름쿠키를 예쁘게 꾸며서 만들어 본다. • 자신의 이름을 꾸미는 작업을 통해 자신의 소중함을 인식할 수 있다.	아이스브레이킹을 위해서 가위바위보를 통한 게임을 쿠키수업과 연계	쿠키생지, 오븐
2	오늘 하루는 어땠나요? (색채검사포함) (형상쿠키)	• 본인 얼굴 표정을 만들면서 평소 자신이 어떤 표정과 감정을 가지고 있는지 생각해 보고 부모님의 표정을 만들어 보면서 부모님에 대한 자신의 감정을 생각해 본다. • 색채 검사를 통해 색깔을 나열해봄으로써 스스로에 대한 생각과 주변인들의 생각을 관찰해 본다.	참여자의 감정을 들여다 볼 수 있는 시간으로 감정위주의 접근	쿠키생지, 오븐
3	사랑해요! 감사해요! (문자-메시지)	• 사랑하고 감사함을 생각해보고 나누어 볼 수 있는 시간을 갖는다. • 나를 먼저 사랑하기 • 나를 사랑하는 사람 찾기 • 감사한 것들 찾기	자존감의 향상 목표적 수업	쿠키생지, 오븐
4	내가 좋아하는 음식 vs 싫어하는 음식 (형상쿠키)	• 내가 제일 좋아하는 음식과 싫어하는 음식을 만들고 서로에 대한 취향과 식성 식습관, 식태도에 대해 서로 나눈다.	자기감정 인식 흥미, 안정감	쿠키생지, 오븐
5	내 생일 이야기 (바탕쿠키)	• 내 생일에 관련된 이야기를 바탕쿠키, 스토리쿠키로 이끈다.	나는 소중한 사람이었다는 것을 느끼는 것	쿠키생지, 오븐
6	쿠키와 함께 한 소풍 (추상쿠키-마블)	• 가장 행복했을 때 중 하나인 소풍의 기억을 떠올리며 쿠키김밥을 만들어 본다.	공개수업으로 진행 (부모와 함께)	쿠키생지, 오븐

3. 개별학생사례

사례1: 자폐성 성향이 있는 자윤이(가명)

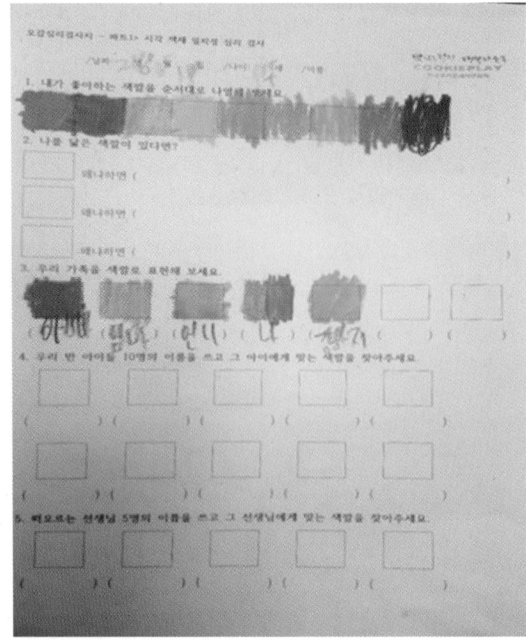
1. 내가 좋아하는 색깔을 순서대로 나열해 보세요.
2. 나를 닮은 색깔이 있다면?
3. 우리 가족을 색깔로 표현해 보세요.
4. 우리 반 아이들 10명의 이름을 쓰고 그 아이에게 맞는 색깔을 찾아주세요.

자폐성이 있던 이 아동은 색채 분석에서 자폐의 성향을 잘 보여주었다. 중요하거나 관심 있는 부분만 인지하고 다른 부분은 아예 아무것도 색채검사를 실행하지 않았다.

이 학생은 쿠키를 만드는 것에 관심이 많아서 자신이 작은 자투리 쿠키를 만든 것까지 아홉 개면 아홉 개, 열 개면 열 개를 작은 부스러기까지 기억하고 그것을 하나라도 못 찾으면 집에 가지 않는 특징이 있었다. 타인에게 자기가 만든 쿠키를 주는 것도 힘들어했다.

그러나 마지막 수업에 자신의 쿠키 중 하나를 꺼내서 진행한 선생님에게 주는 변화가 생겼다. 쿠키플레이 6회가 준 변화였다.

사례2: 난독증이 있는 아이 김규영(가명)

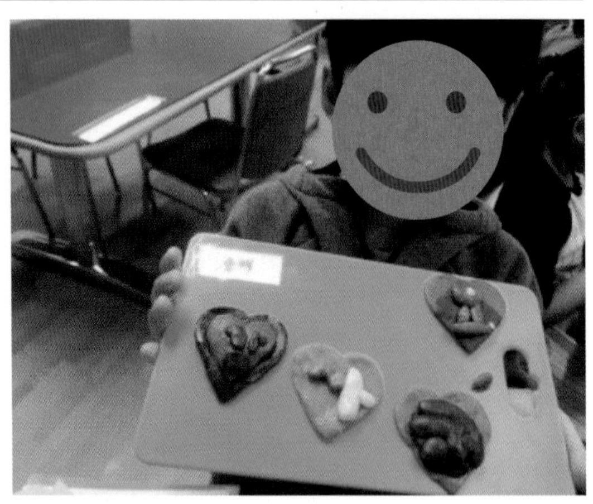

난독증이 있다는 규영은 밝고 적극적인 친구였다.

수업 중에 활동지를 쓸 때는 자신이 없어 했다.

그런 규영이 문자-메시지 쿠키를 했을 때 '감사해요'라고 만들어서 교사인 나에게 가지고 왔다. 쿠키 수업이 주는 긍정적 변화이다.

사례3: 소심한 아이 김소희(가명)

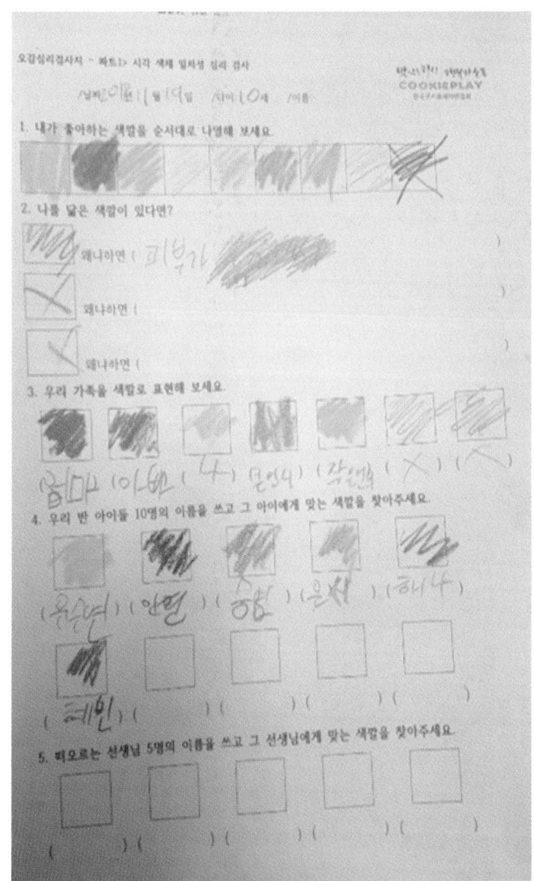
오감심리검사지 - 파트1> 시각 색채 일치성 심리 검사

1. 내가 좋아하는 색깔을 순서대로 나열해 보세요.

2. 나를 닮은 색깔이 있다면?

왜냐하면 ( )

왜냐하면 ( )

왜냐하면 ( )

3. 우리 가족을 색깔로 표현해 보세요.

4. 우리 반 아이들 10명의 이름을 쓰고 그 아이에게 맞는 색깔을 찾아주세요.

5. 떠오르는 선생님 5명의 이름을 쓰고 그 선생님에게 맞는 색깔을 찾아주세요.

소심한 아이 소희는 조용히 자리에 앉아서 항상 말없이 만들고 가는 상호작용도 제대로 하지 못했던 친구이다.
색채 분석을 봐도 알 수 있듯이 자신의 의견을 적는 것을 제대로 완성하지 못하고 의견도 적지 못하는 소심한 학생이었다.
6회기의 쿠키플레이 수업을 통해 자신감을 찾아가고 대화도 가능해진 유의미한 변화를 보였다.

1. 디딤돌 1회

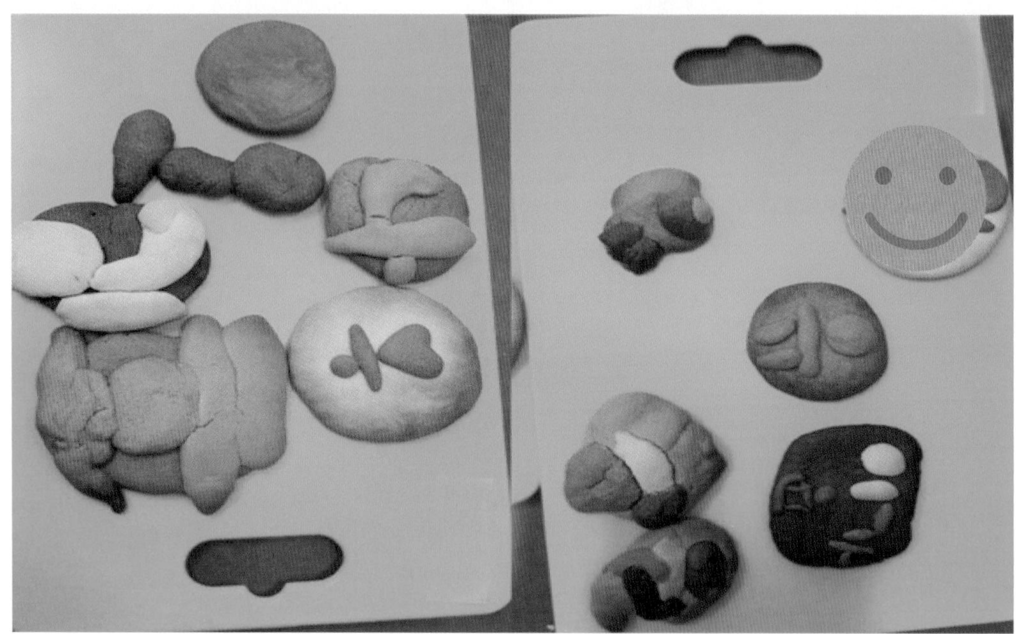

2. 디딤돌 2회

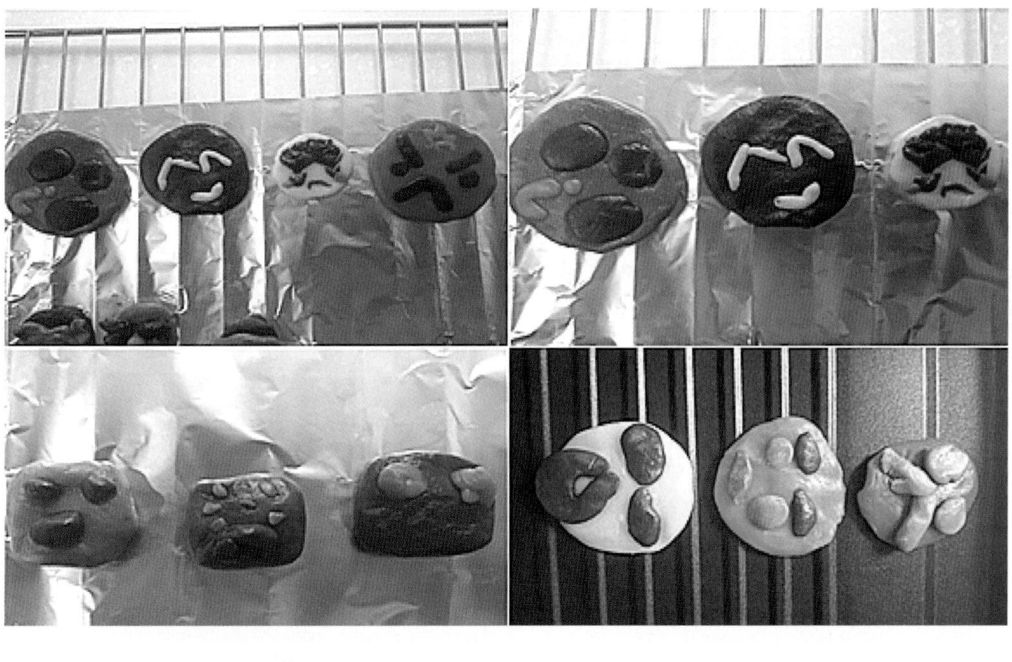

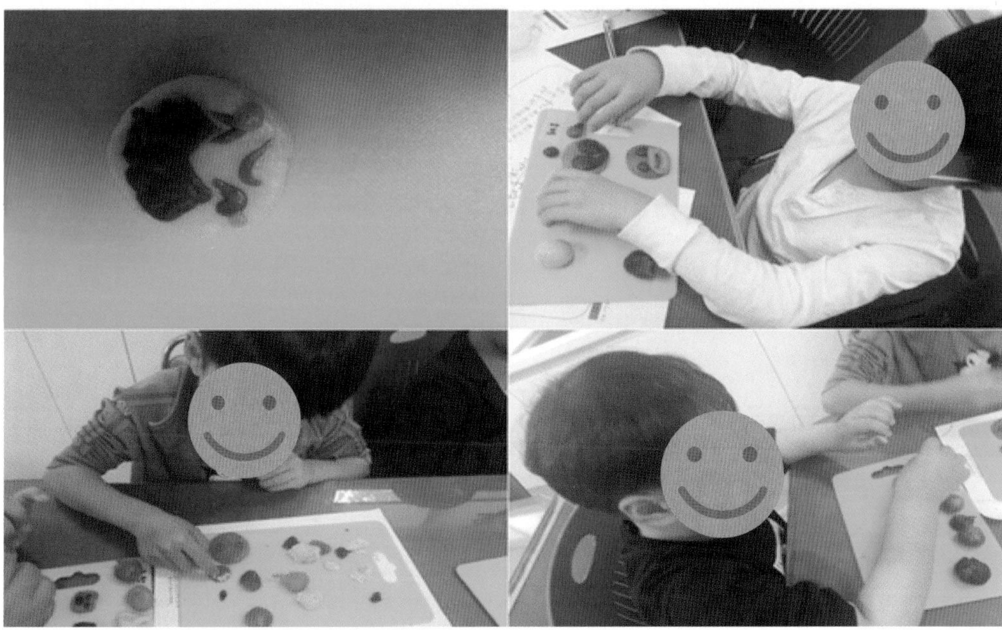

3. 디딤돌 3회

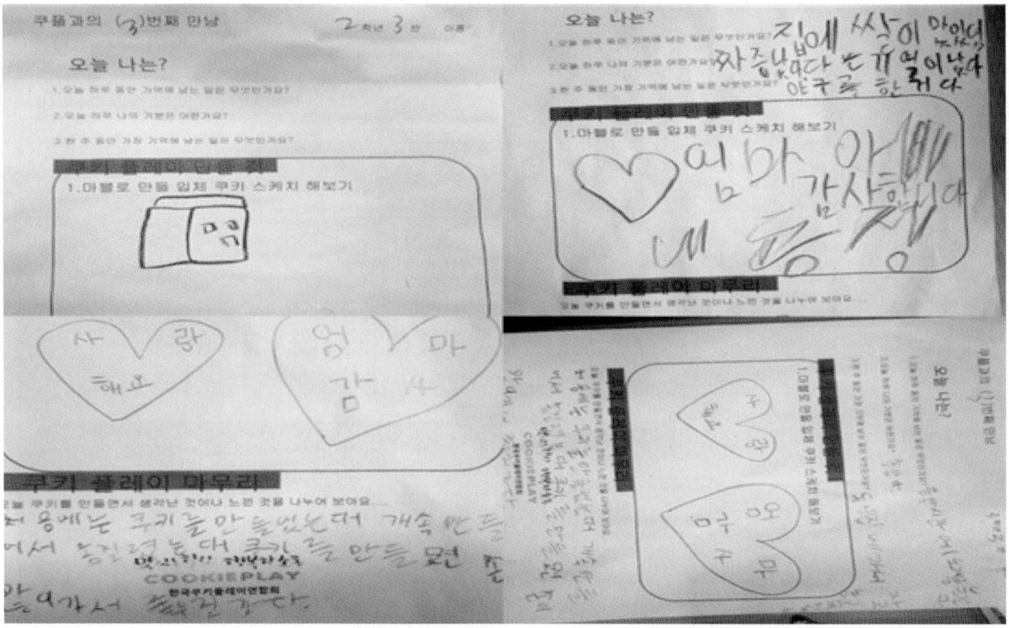

쿠플과의 (3)번째 만남 2학년 3반 이름

오늘 나는?

1.오늘 하루 동안 기억에 남는 일은 무엇인가요?

2.오늘 하루 나의 기분은 어떤가요?

3.한 주 동안 가장 기억에 남는 일은 무엇인가요?

쿠키 플레이 만들기

1.마블로 만들 입체 쿠키 스케치 해보기

맘

사랑해요

엄마 감사

쿠키 플레이 마무리

오늘 쿠키를 만들면서 생각난 것이나 느낀 것을 나누어 보아요...

COOKIEPLAY

한국쿠키플레이연합회

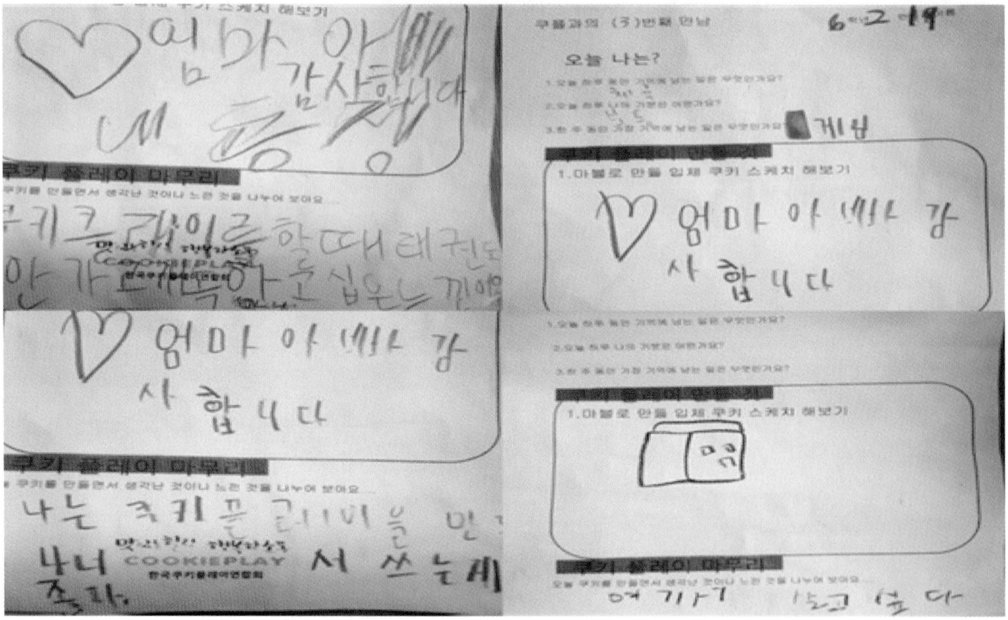

오늘 나는?

1.오늘 하루 동안 기억에 남는 일은 무엇인가요? 집에 사이 안 있다

2.오늘 하루 나의 기분은 어떤가요? 짜증났다

3.한 주 동안 가장 기억에 남는 일은 무엇인가요? 야구를 한거다

쿠키 플레이 만들기

1.마블로 만들 입체 쿠키 스케치 해보기

엄마 아빠 감사합니다 내 동생

쿠키 플레이 마무리

오늘 쿠키를 만들면서 생각난 것이나 느낀 것을 나누어 보아요...

COOKIEPLAY

쿠플과의 (3)번째 만남 6-2

오늘 나는?

1.오늘 하루 동안 기억에 남는 일은 무엇인가요?

2.오늘 하루 나의 기분은 어떤가요?

3.한 주 동안 가장 기억에 남는 일은 무엇인가요? 게임

쿠키 플레이 만들기

1.마블로 만들 입체 쿠키 스케치 해보기

엄마 아빠 감사합니다

쿠키 플레이 마무리

오늘 쿠키를 만들면서 생각난 것이나 느낀 것을 나누어 보아요...

나는 쿠키플레이를 만나서 좋았다

COOKIEPLAY

한국쿠키플레이연합회

여기가 살고 싶다

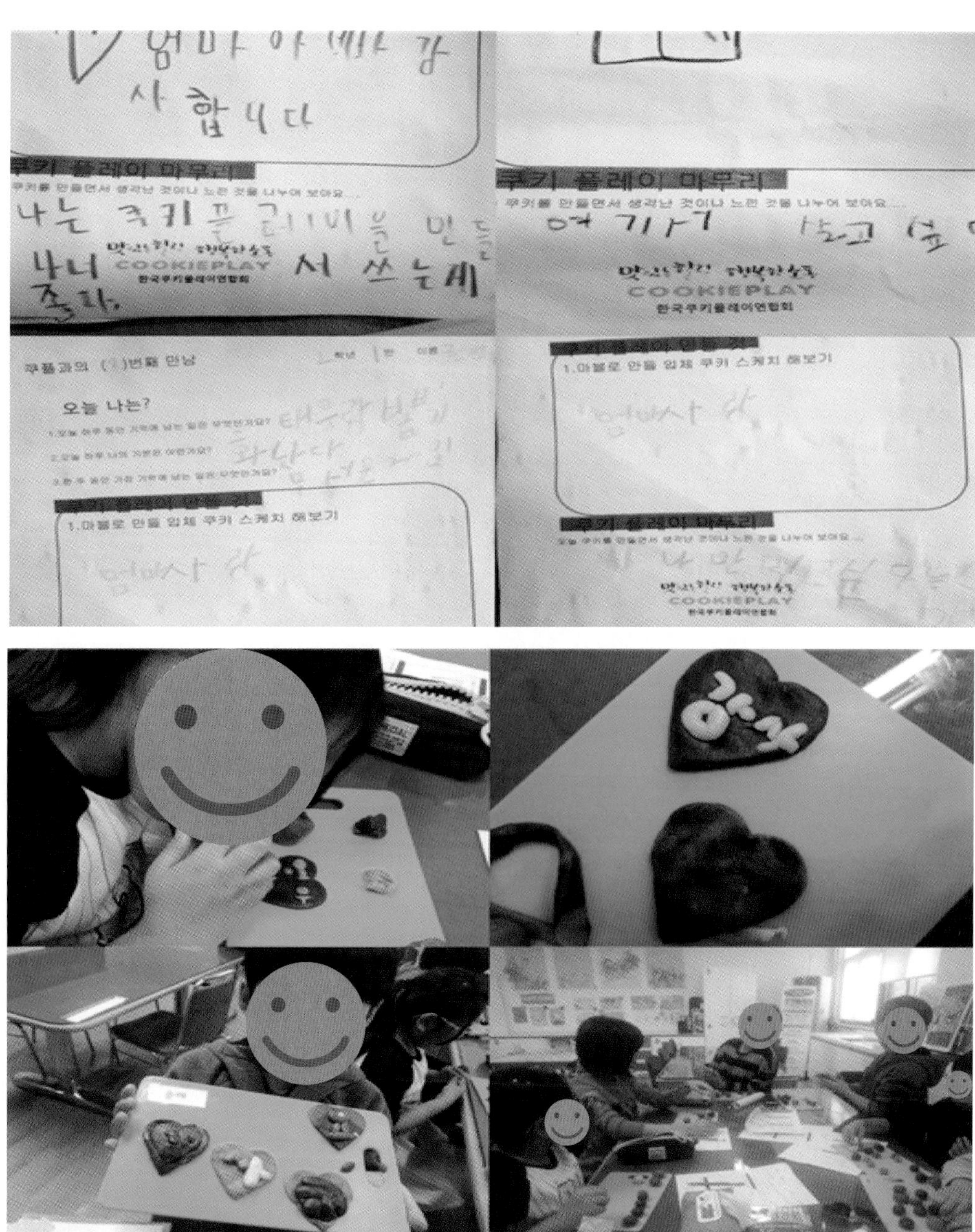
쿠키 플레이 마무리
쿠키를 만들면서 생각난 것이나 느낀 것을 나누어 보아요...
COOKIEPLAY
한국쿠키플레이연합회
오늘 나는?
1.마블로 만들 입체 쿠키 스케치 해보기
감사

4. 디딤돌 4회

5. 디딤돌 5회

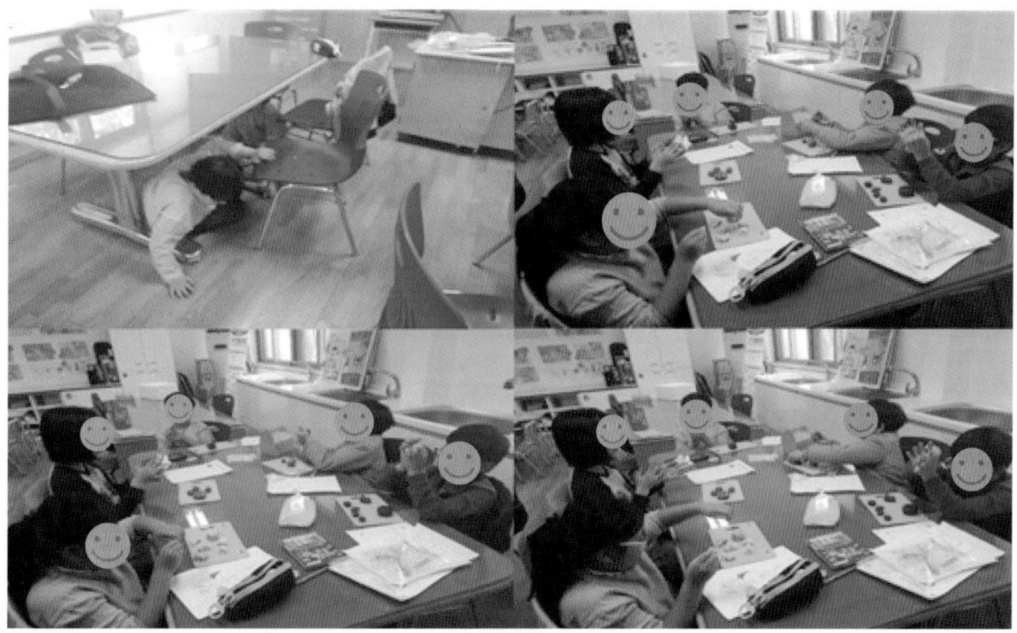

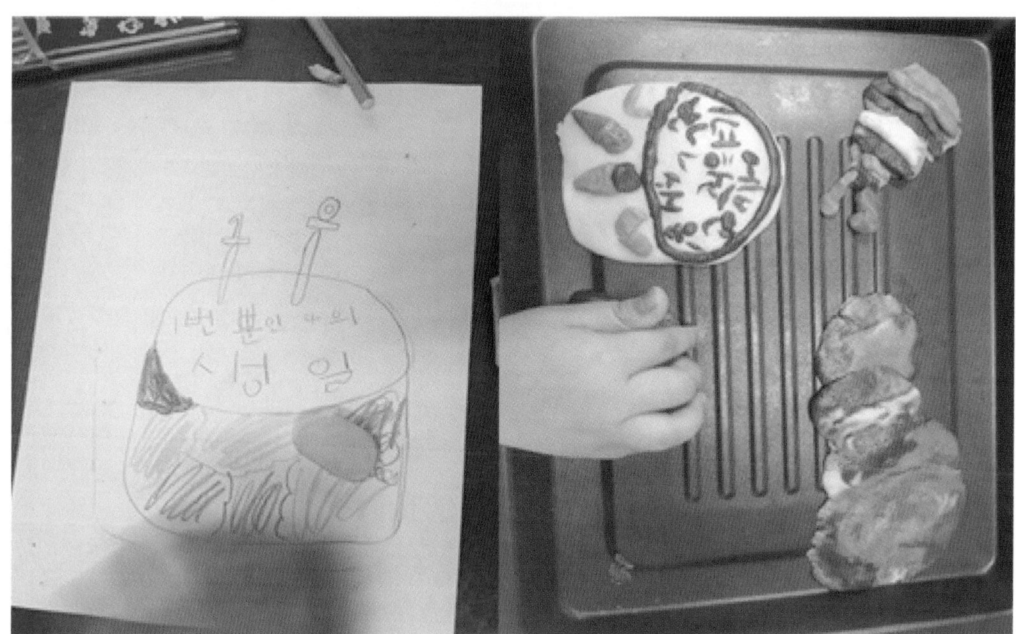

6. 디딤돌 학부모 공개수업

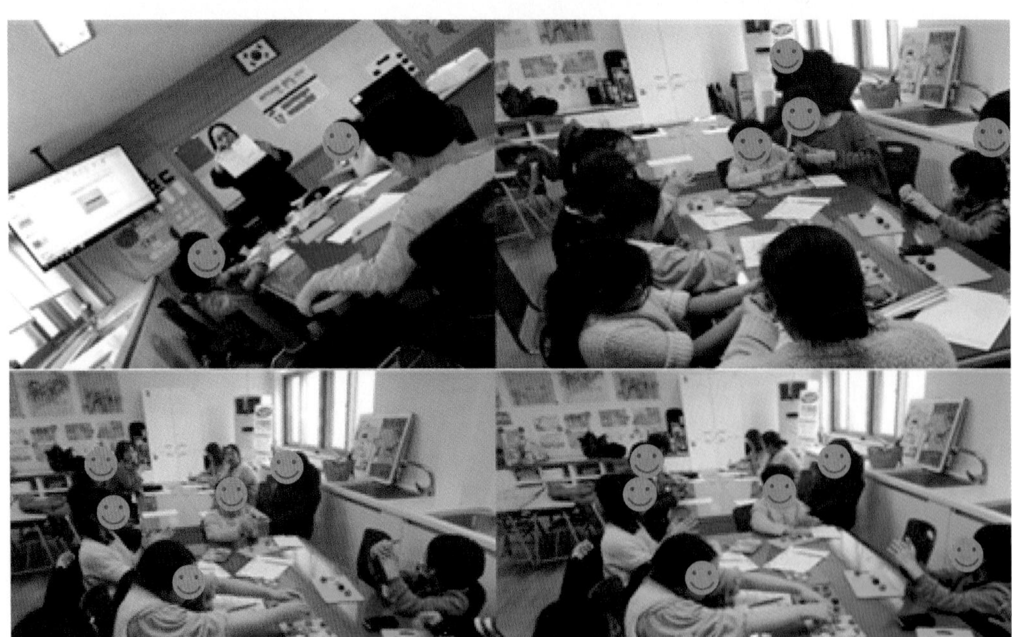

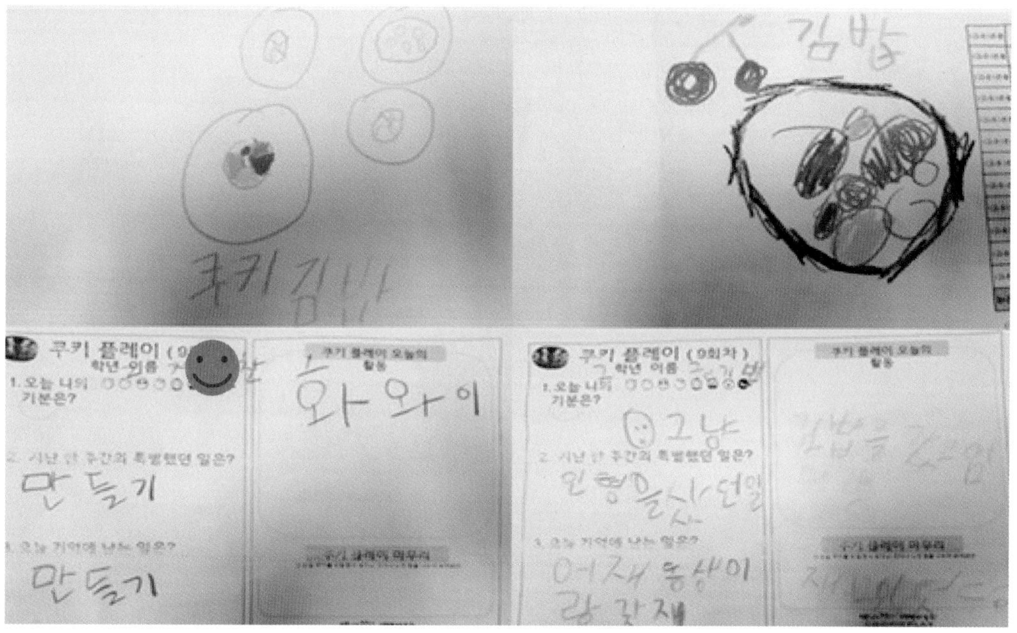

쿠키 김밥
김밥
쿠키 플레이 (9회차)
학년 이름
1. 오늘 나의 기분은?
2. 지난 한 주간의 특별했던 일은?
만들기
3. 오늘 기억에 남는 일은?
만들기
쿠키 플레이 오늘의 활동
와와이
쿠키 플레이 마무리
쿠키 플레이 (9회차)
학년 이름
1. 오늘 나의 기분은?
그냥
2. 지난 한 주간의 특별했던 일은?
인형을 샀던일
3. 오늘 기억에 남는 일은?
어재 동생이
랑 갔재
쿠키 플레이 오늘의 활동
쿠키 플레이 마무리

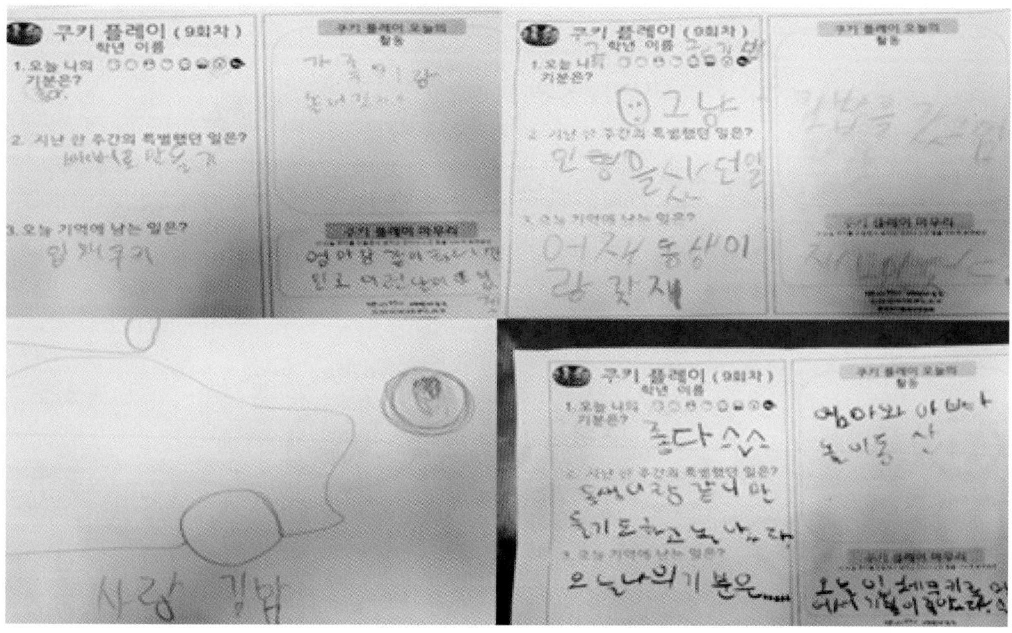

쿠키 플레이 (9회차)
학년 이름
1. 오늘 나의 기분은?
2. 지난 한 주간의 특별했던 일은?
3. 오늘 기억에 남는 일은?
쿠키 플레이 오늘의 활동
쿠키 플레이 마무리
쿠키 플레이 (9회차)
학년 이름
1. 오늘 나의 기분은?
그냥
2. 지난 한 주간의 특별했던 일은?
인형을 샀던일
3. 오늘 기억에 남는 일은?
어재 동생이
랑 갔재
쿠키 플레이 오늘의 활동
쿠키 플레이 마무리
사랑 김밥
쿠키 플레이 (9회차)
학년 이름
1. 오늘 나의 기분은?
좋다
2. 지난 한 주간의 특별했던 일은?
3. 오늘 기억에 남는 일은?
오늘 나의 기분은......
쿠키 플레이 오늘의 활동
엄마와 아빠
놀이동 산
쿠키 플레이 마무리

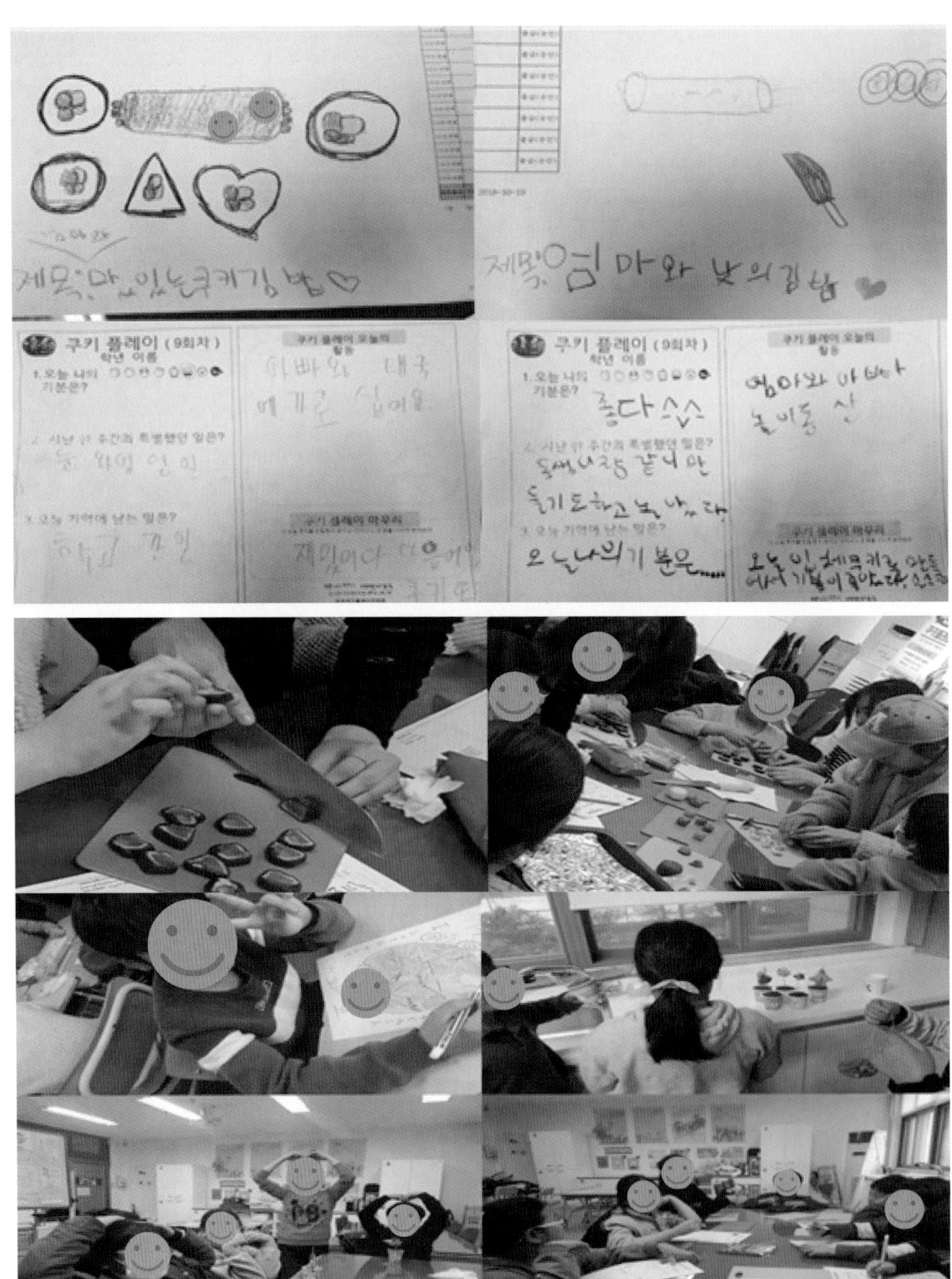
제목: 엄마와 나의 김밥
쿠키 플레이 (9회차)
쿠키 플레이 (9회차)
좋다
쿠키 플레이 마무리
쿠키 플레이 마무리

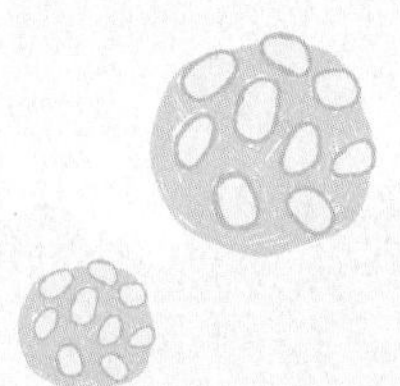

A부속중학교

내 안의 놀라운 변화. 왕따 학생들과 함께한 쿠키테라피

교우관계 어려움이 있는 학생들을 대상으로 진행되었던 A부속중학교
10회기 쿠키테라피 수업 후 학생들의 놀라운 변화를 이끌었습니다.

1. 학생 구성

회 기	10회기	참석인원	5 명	지도자	안미진(상담사), 양희경(보조자)
일 시	2016년 10월 17일 ~ 12월 27일	장 소	**구 **부속중학교 상담실 3층		
대 상	총 5명(남자 2명, 여자 3명) - 14세, 15세, 16세				

** 피상담자는 중학교 1, 2, 3학년 학생으로 상담 선생님이 선별하여 구성함

2. 집단형태 및 구성원 소개

■ 집단형태 - 폐쇄집단

이름	나이	가족관계	특성
차준우	14세	부모, 형	학급 내에서 교우관계에 문제가 있는 편이며, 불안장애와 수면장애 등의 약물 복용 중
김민주	15세	모	이혼가정, 약물 복용경력 있음. 6번의 전학 경험
마가람	15세	부모, 오빠	김민주와 친한 사이로 교우관계 문제
강선미	14세	부모, 오빠, 언니	교우 관계 문제, 엄마의 세 번의 결혼
김미현	16세	부모, 동생	교우 관계 문제, 엄마의 세 번의 결혼

3. 프로그램일정 소개

회기	주제	과 정	준비물	기타
1	알고 싶어요. 나는 누구일까요? (문자-네임)	• 자신을 사랑하는 마음으로 네임쿠키를 예쁘게 꾸며서 만들기 • 자신의 이름을 꾸미는 작업을 통해 자신의 소중함을 인식할 수 있다.	생지, 도마, 오븐	검사지
		• 감정이완, 자기인식		
2	나의 감정의 조각들을 모아요~	• 가장 많이 짓는 표정이 무엇인지 자신의 표정을 인지한다. • 분기로 보는 감정을 나타낸다.	생지, 도마, 오븐	나의 감정 빙고
		• 감정표출, 자기인식		
3	나누어 먹어요, 쿠키뷔페	• 사물의 단면을 이해한다. • 여러 색깔의 쿠키반죽이 자연스럽게 섞여 나타나는 모습을 알아본다. • 주변 사람들과 함께 나눔을 체험할 수 있다.	생지, 도마, 오븐	ppt
		• 자기인식, 자기애, 감정표출, 창의력		
4	요만했던 내가 요렇게 자랐어요.	• 4컷으로 나의 일대기를 꾸민다. • 자신의 과거를 돌이켜 보고 존재감을 느낄 수 있으며, 미래도 생각해볼 수 있다.	생지, 도마, 오븐	ppt
		• 자기인식, 창의력		

회기	주제	과 정	준비물	기타
5	우리 함께해요 피자 만들기	• 쿠키 반죽을 이용해 큰 원을 만든다. • 어떤 피자를 만들지 의견을 모아 꾸며본다.	생지, 도마, 오븐, 초코펜	ppt
		• 협동심, 성취감, 자신감, 사회성		
6	쿠키볼로 여러 가지 모양을 만들어요.	• 여러 가지 모양의 쿠키볼을 만들어 표현해 볼 수 있다	생지, 도마, 오븐, 토핑	ppt
		• 창의력, 내면표출		
7	쿠키볼로 마음을 표현해 보아요. (팀별)	• 여러 가지 모양의 쿠키볼을 만들어 표현해 볼 수 있다	생지, 도마, 오븐	ppt
		• 창의력, 내면표출		
8	좋고 싫고 피자!	• 쿠키 반죽을 이용해 큰 원을 만든다. • 한쪽에는 좋아하는 것 한쪽은 싫어하는 것으로 꾸며본다.	생지, 도마, 오븐	ppt
		• 자기인식, 창의력, 감정표출		
9	나의 행복한 기억, 크리스마스	• 가족과 함께 행복했던 기억을 생각해본다. • 내가 무엇을 할 때 행복한지 스트레스가 풀리는지 생각해본다.	생지, 도마, 오븐, 토핑	ppt
		• 자기인식, 창의력		
10	10년 후 나의 모습, 나의 꿈동산 꾸미기	• 10년 후 내 모습을 그려보고 어떤 모습일지 말해본다. • 내 꿈을 이룰 때 필요한 것이 무엇인지 생각해본다. • 꿈을 구체화하는 명함을 꾸민다.	생지, 도마, 오븐, 토핑/끈	ppt
		• 자기인식, 창의력, 감정표출		

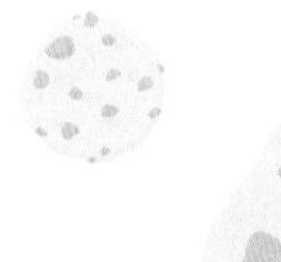

4. 개별 학생 사례

**부속 중학교 1학년 차준우(14세) 색채검사지 및 활동사진

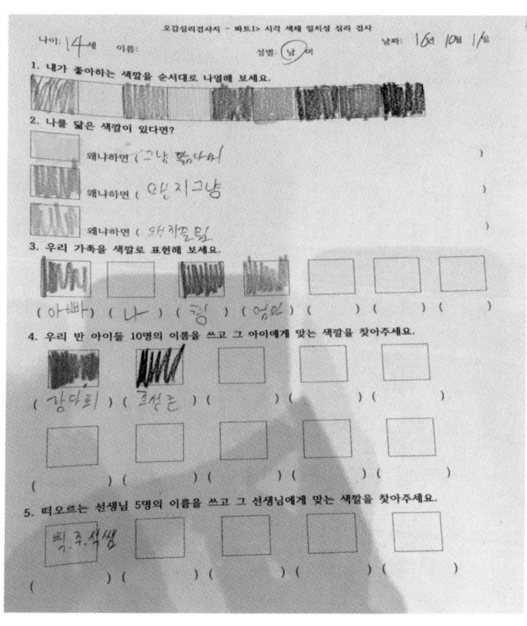
오감심리검사지 - 파트1> 시각 색채 일치성 심리 검사

나이: 14세 이름: 성별: 남 여 날짜: 16년 10월

1. 내가 좋아하는 색깔을 순서대로 나열해 보세요.

2. 나를 닮은 색깔이 있다면?

왜나하면 ( )

왜나하면 (왠지그냥)

왜나하면 ( )

3. 우리 가족을 색깔로 표현해 보세요.

(아빠) (나) (형) (엄마) ( ) ( ) ( )

4. 우리 반 아이들 10명의 이름을 쓰고 그 아이에게 맞는 색깔을 찾아주세요.

( ) ( ) ( ) ( ) ( )

( ) ( ) ( ) ( ) ( )

5. 떠오르는 선생님 5명의 이름을 쓰고 그 선생님에게 맞는 색깔을 찾아주세요.

( ) ( ) ( ) ( ) ( )

1) 차준우가 좋아하는 색은 파랑과 노랑 초록 연두로 나타냄.

3) 가족관계에서 아빠가 가장 먼저 떠오르는 사람으로 보임. 가족을 색으로 나타낸 것에서 형을 가장 좋아하는 파랑으로 표현하였음. 자신은 노랑으로 두 번째 선호 색으로 표현하였음. 자기애가 높을 것으로 예상해 봅니다.

4) 반 아이들을 잘 모른다고 하였고, 두 명을 적었음. 그중 조**은 싫어한다고 표현한 적이 있는 학생임 검정으로 표현하였음. 교우관계를 살펴봐야 함.

① 1회기 (2016.10.11.)

학창시절의 기억

- 유치원 때부터 산만하다고 지적을 많이 받아왔으며, 유치원에서 쫓겨난 좋지 않은 기억이 있다고 말함. 부모님도 그것을 인지하고 많은 검사와 지속적인 치료를 받아왔다고 말함.
- 초등학교 때는 집단폭행 등 많은 일을 겪어왔으며, 집단폭행 때 10명 정도의 아이들에게 발로 밟혔다고 함. 학폭위는 열지 않았다고 말함. 몸에 발자국이 남았었다고 표현함.
- 현재는 초등학교 동창 조태형이 오랫동안 자신을 괴롭혀 왔다고 말함.
- 조태형이라는 아이에 대한 불편한 감정을 드러냈음.

약

- 불안장애와 수면장애약을 복용하고 있으며, ADHD 치료비에 대한 비용 부담이 있다고 말함.

가족

- 형을 좋아한다고 말함. 형은 공부도 잘하고 자기에게 게임을 시켜준다고 말함.

꿈과 성향

- 컴퓨터를 잘 다루고 관심도 많음. - 좋은 일을 하는 화이트해커가 되고 싶다고 말함.
- 자신은 집중하고 싶은 일에만 하게 된다고 말함.
- 친구들의 핸드폰을 해킹하거나 바이러스를 보내기도 한다고 함. - 다방면에 지식이 많고 표현도 많이 함.
- 자신은 싸움을 잘하지 못한다고 인식하여 '완전 패한다.'라고 표현함.

쿠키만들기

- 구슬 테두리 패턴을 잘하지 못하였고, 규칙대로 하는 것을 어려워함.

작품 및 활동사진

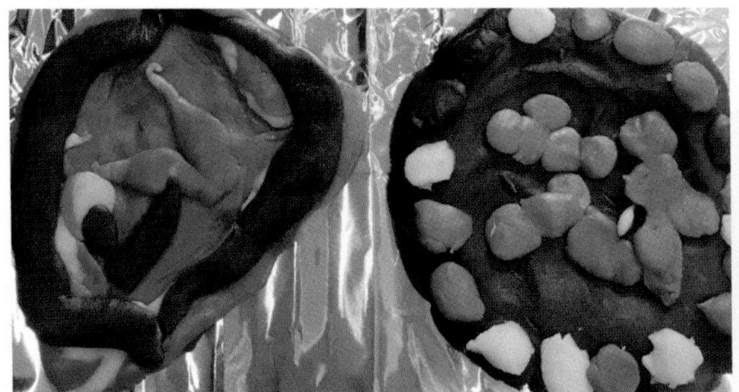
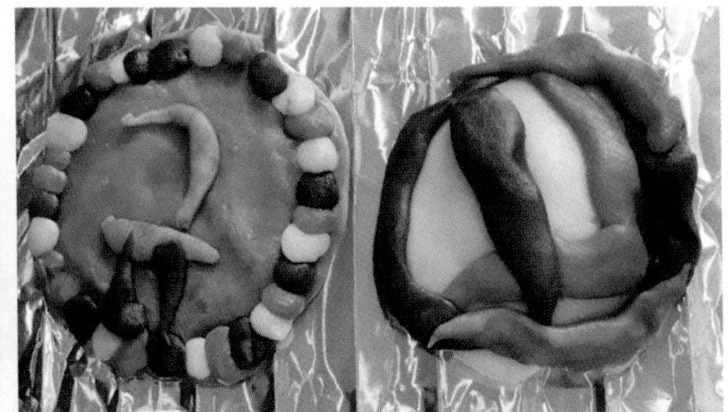

② 2회기 (2016.10.18.)

가족관계
- 아빠가 대기업에 다니는 것을 자랑스럽게 여김.
- 자신보다는 형이나 아빠를 자랑스럽게 여김.

성향
- 사진 찍는 것에 대해서 거부감을 보임.

따돌림
- 초등학교 1학년 2학기 때부터 자신은 따돌림당했다고 말함.
- 그때는 노는데 끼워주지 않는 정도였고, 5학년 때부터 점점 심해졌으며 초등 5학년 때 정미호라는 아이가 심하게 따돌렸다고 말함.
- 현재 중학교 1학년 때는 많이 힘들다고 표현함. 싸울 일도 많고, 모임에 끼워주지 않아, 서울대공원에 갈 때도 자신과 선미를 빼고 그룹을 짜서 선미랑만 다녔다고 표현함.
- 아이들이 자신을 싫어한다고 말함. 같은 초등학교에서 올라오다 보니 이미지를 달리할 수 없어 초등학교 때처럼 아이들에게 따돌림당했다고 말함.
- 전학 가고 싶다고 말함.

자신에게 주고 싶은 것
- 자신에게 주고 싶은 것은 '행복, 따돌림 안 받고 다른 아이들처럼 평범하게 지내는 것'이라고 대답함.

학교생활
- 학교가 싫지만, 기댈 사람이 있었으면 한다고 말함.
- 고등학교 시절을 상상할 때 아예 포기 상태가 될 거 같다고 함.

쿠키만들기
- 쿠키를 만들 때 이야기와 힘든 일을 털어놓아서 마음이 후련하고 재미있었다고 후기를 작성하였음.

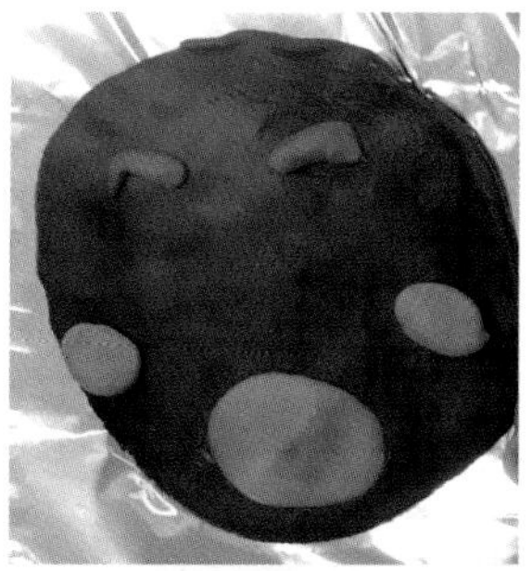

초1 ≫ 기분최고

중1 ≫ 슬픔

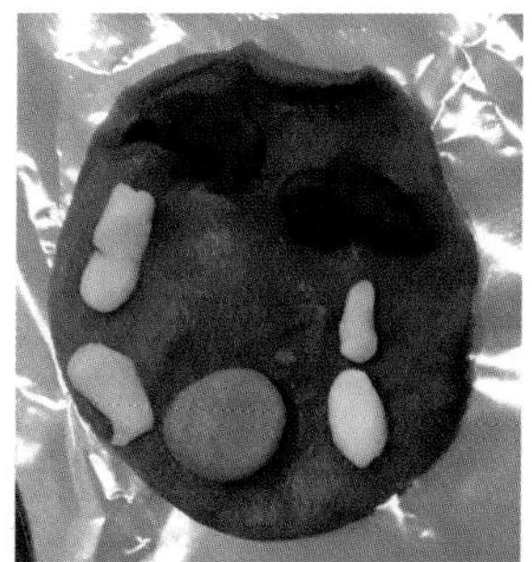

고1 ≫ 아예포기

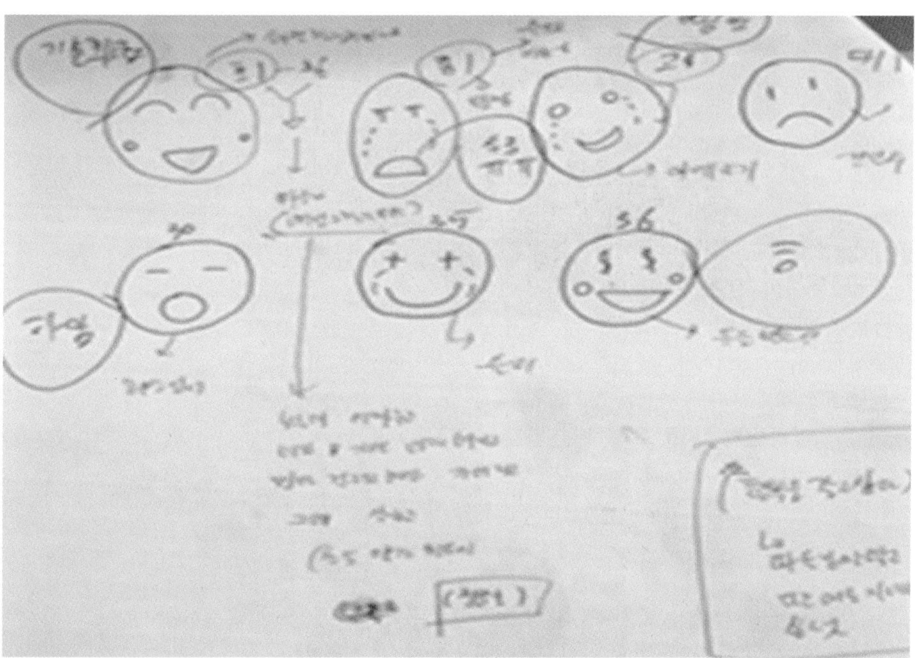

쿠키를 만들며 이야기와 힘든일을 털어놓아서 마음이 후련해지고 재미있었다

③ 3회기 (2016.10.25.)

작품 및 활동사진

사소한 말다툼
- 휴대폰으로 바이러스를 보낸다고 애들이 말함.
- 자신이 보낸 것이 아니라고 얘기함.
- 끝까지 자신이 아니라고 얘기함.
- 굉장히 억울하다고 표현함.

쿠키만들기
- 처음에는 의욕을 보였으나, 만들 때는 갑자기 자신이 없다고 하였음.
- 본인은 못 한다고 말함.
- 준우는 마블 쿠키를 잘 이해하지 못하였지만, 끝까지 도와주자 완성을 하였음.
- 마블을 이해하지 못하고 어려워지자, 급격히 감정이 다운됨.
- 마블을 잘할 것으로 기대했었으나, 집중력을 요구하는 마블을 다소 어려워하였음.

④ 4회기 (2016.11.29.)

작품 및 활동사진

수업
- 1대1 수업이라고 하니 싫어함.
- 사람이 많은 것에 불편함을 호소함.

대화방식
- 계속해서 질문하고 상관없는 말을 계속함.
- 갑자기 원주율 구하는 이야기를 하다가 한국사 시험 이야기 등을 이야기하고 그러다가 형 이야기 등 다소 상관없는 말들을 계속함.

⑤ 10회기 (2016.12.27.)

작품 및 활동사진

수업
- 상황에 맞지 않는 말을 자주 함. • 조지 마이클 사망에 대해 자주 언급.
- 설날 돈을 많이 받은 것과 형이 자사고 간 것을 자랑함. • 준우의 자랑에 **이가 자랑질이라고 싫어함.
- 반죽을 자꾸 두드려서 다른 친구들의 원성을 삼. • 과학에 관해 어려운 말을 많이 함.
- 과학에 관심이 많고 어려운 용어, 지식을 많이 말함.

꿈
- 달러를 많이 벌고 싶다고 말함. • 환전 차액으로 큰돈을 벌고 싶다고 함.
- 카이스트를 가고 싶다고 함. • 화이트해커가 되고 싶다고 함.
- 이전 회기부터 말하던 꿈임.

차준우 결과 분석

▼ 1회기 분석 결과
- 상황에 맞지 않는 말을 자주 함. • 조지 마이클 사망에 대해 자주 언급.
- 설날 돈을 많이 받은 것과 형이 자사고 간 것을 자랑함. • 준우의 자랑에 **이가 자랑질이라고 싫어함.
- 반죽을 자꾸 두드려서 다른 친구들의 원성을 삼. • 과학에 관해 어려운 말을 많이 함.
- 과학에 관심이 많고 어려운 용어, 지식을 많이 말함.

▼ 3회기 분석 결과
- 마블입체쿠키 진행에 있어서 처음에는 강한 의욕을 보였으나, 집중력이 필요하고 어렵다고 느끼자 포기해버림. 급격한 기복이 있음.

▼ 7회기 분석 결과
- 익숙한 환경에서는 일반적인 생활을 할 수 있으나, 환경이 바뀌는 것에 대해 다소 어려워함.

▼ 학생에게 보내는 조언
- 결석이 많지 않았더라면 쿠키플레이로 더 많은 효과를 기대해 볼 수 있던 학생이어서 중간에 결석이 많았던 것이 아쉬움.

4. 개별 학생 사례

**부속 중학교 2학년 김민주(15세) 색채검사지 및 활동사진

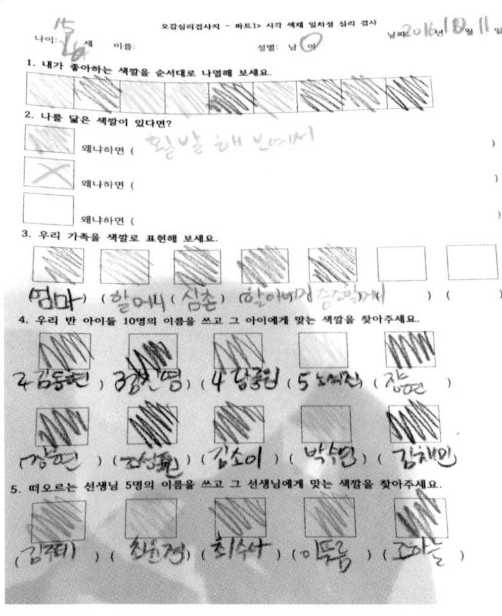
오감심리검사지 - 파트1> 시각 색채 일치성 심리 검사

나이: 15 세 이름: 성별: 남 여 날짜 2016년 10월 11일

1. 내가 좋아하는 색깔을 순서대로 나열해 보세요.

2. 나를 닮은 색깔이 있다면?

왜나하면 (활발해 보여서)

왜나하면 ( )

왜나하면 ( )

3. 우리 가족을 색깔로 표현해 보세요.

(엄마) (할머니) (삼촌) ( ) ( ) ( ) ( )

4. 우리 반 아이들 10명의 이름을 쓰고 그 아이에게 맞는 색깔을 찾아주세요.

( ) ( ) ( ) ( ) ( )

( ) ( ) (김소이) ( ) ( )

5. 떠오르는 선생님 5명의 이름을 쓰고 그 선생님에게 맞는 색깔을 찾아주세요.

( ) ( ) ( ) ( ) ( )

1) 색으로 볼 때 자신이 가장 좋아하는 색이 자신을 나타내는 색으로 표현. 자기애가 높을 것으로 예상.

3) 가족관계에서 가장 먼저 떠오르는 사람으로 엄마로 보임. 중간 정도의 선호도로 예상해봄. 가족에 대한 것에 아빠를 쓰지 않았음.

4) 반 아이들과 선생님 항목도 잘 쓰지 않았음. 모범생 스타일로 보임. 현재 친구가 없지만, 친구나 주변 사람들에게 관심이 많은 것으로 보임. 차후에 안정이 되면, 대인관계는 좋아질 것으로 예상해 봄.

① 1회기 (2016.10.11.)

교우관계
- 마가람과 친하게 지냄.
- 별명에 관한 이야기를 할 때 배경몰이라고 가람이와 항상 붙어 다녀 생긴 별명이라고 함.

성향
- 처음에는 자신을 잘 드러내지 않고, 사진을 찍거나 할 때도 약간의 거부는 있었으나, 시간이 지나자 활달해졌음.

꿈
- 애니메이션을 좋아한다고 하고 만드는 것도 좋아함. • 애니메이션학원에 다닐 것이라고 말함.
- 주말에 서울 코믹월드에 마가람과 함께 다녀왔다고 함. • 여러 가지 물건들도 보여줌.

엄마와의 관계
- 싫어하는 사람이 누구냐는 질문에 엄마라 하고 만들었음.
- 하지만 예쁘게 꾸몄음 . "싫으니까 밉게 만들어도 된다"고 하니, "그래도 엄마니까" 라고 대답함.
  (엄마에 관해 불만이 있고 싫은 감정은 있지만, 엄마에 대한 특별함이 있다고 생각됨)

약
- 6년 동안 집중력에 관한 약을 먹었다고 말함. 지금은 좋아진 거 같다고 말함.

쿠키만들기
- 아주 꼼꼼하게 잘 만들었음.

작품 및 활동사진

② 2회기 (2016.10.18.)

화
- 종례가 길어져 조금 기분이 상한 상태로 옴. • 차준우에게 화를 내고 종종 작은 일에 화를 내는 경향이 있음.

전학
- 여섯 번의 전학으로 힘들었음. • 부모님이 어릴 적에 이혼하셔서 여러 집을 다니면서 지냈다고 함.
- 학기 중엔 할머니와 살다가 방학 때는 아빠, 그리고 현재는 엄마와 살고 있음.
- 엄마가 재혼하실 거 같다고 하고 아빠는 재혼하셨음. • 엄마 나이가 37세라고 말함.
- 놀면서 치유할 수 있는 선물을 자신에게 선물하고 싶어서 라이언을 준다고 함.

쿠키만들기
- 자신의 작품을 줌.
- 작품을 열심히 만들고, 굽는 과정에도 관심이 많음.
- 표현력이 좋고 만드는 것을 좋아하고 잘 만듦.
- 굽는 것에 신경을 많이 쓰고 자신의 작품에 대한 애착도 있음.

③ 3회기 (2016.10.25.)

말다툼

• 끝까지 휴대폰 바이러스 얘기를 해서 김**와 차**는 수업 분위기를 조금 힘들어하였음.

사과

• 준우의 사소한 실수, 민주를 누나라고 부르지 않은 것에 굉장히 민감하게 반응하였으며, 준우가 사과하였으나, 잘 받아주지 못함.

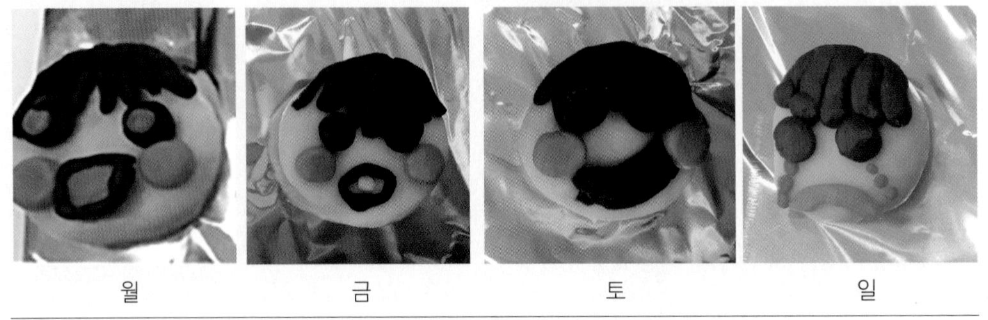

월 금 토 일

쿠키만들기

• 마블을 완벽하게 이해했고, 끝까지 만드는 것을 힘들어했지만, 계속해서 독려해주니 마무리를 잘했음.
• 100점이란 숫자를 넣으려고 애썼으며, 만들어냈음.

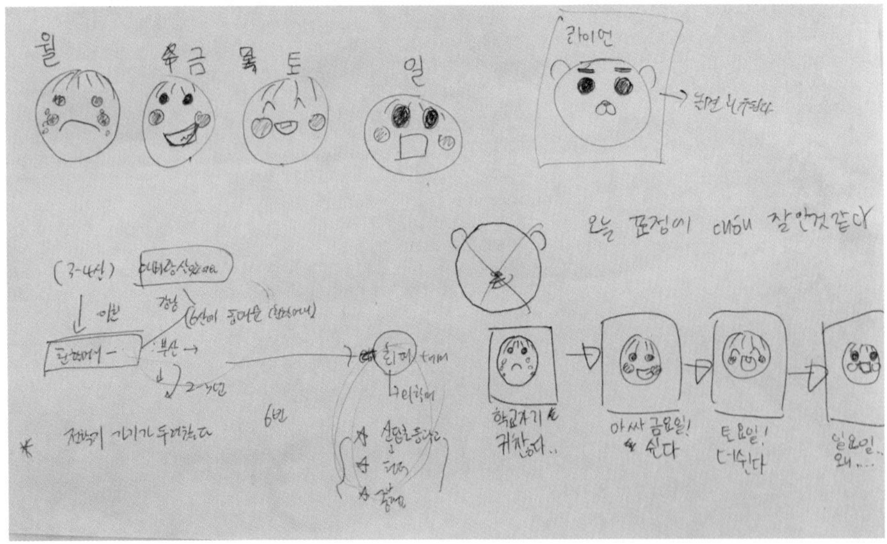

④ 4회기 (2016.11.01.)

김민주는 오늘 유난히 말이 없었고, 조금 늦게 와서 만드는 것에 집중하였음.

성향
- 항상 표정이 없고, 사진 찍을 때 얼굴이 잘 나온 사진이 거의 없음.
- 게임을 좋아하는 거 같진 않음.
- 좋아하는 것이나 싫어하는 것에 대한 표현력이 강하지 않음.

쿠키만들기
- 주제를 금방 잡고, 만드는 데 집중함.
- 자신의 쿠키에 대한 애착이 강함.
- 오븐 앞에서 지켜봄.

작품 및 활동사진

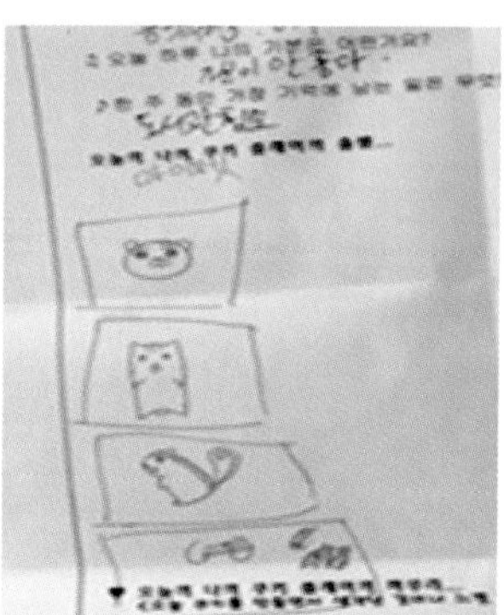

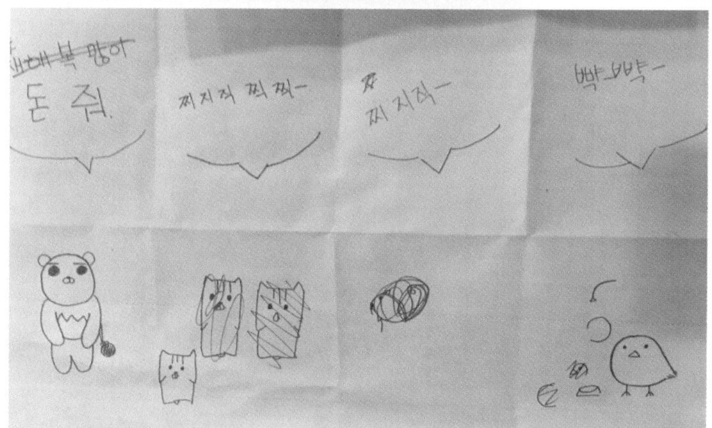

⑤ 6회기 (2016.11.22.)

수업
- 초코색 선택. • 만드는 속도가 느림. 차**가 느려서 도와줌. • 본인은 세 개 남김.
- 다음 주 팀별 수업에 인상이 좋은 선생님을 기대함. • 쓴 사람 먼저 하자고 함.
- 만드는 것을 좋아해서 빨리 만들고 싶어 함.

작품
- 눈 오는 장면을 형상화하였음.

작품 및 활동사진

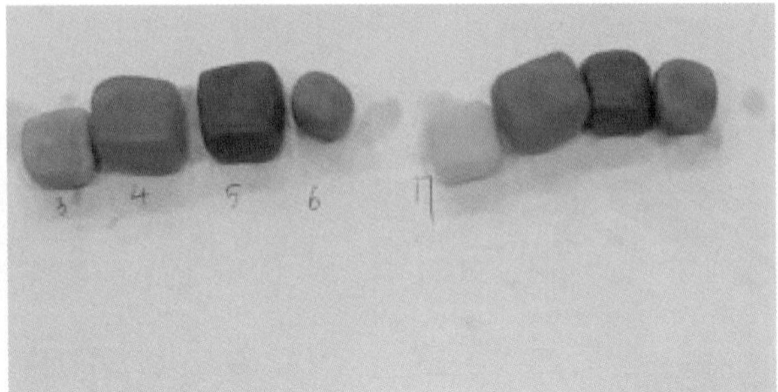

⑥ 7회기 (2016.11.29.)

수업
- 기분이 좋지 않음. • 일방적으로 성질을 내는 친구가 있어 기분이 나쁨.
- 그 친구와 싸웠다고 말함. • 애니메이터가 되겠다고 말함.

작품 및 활동사진

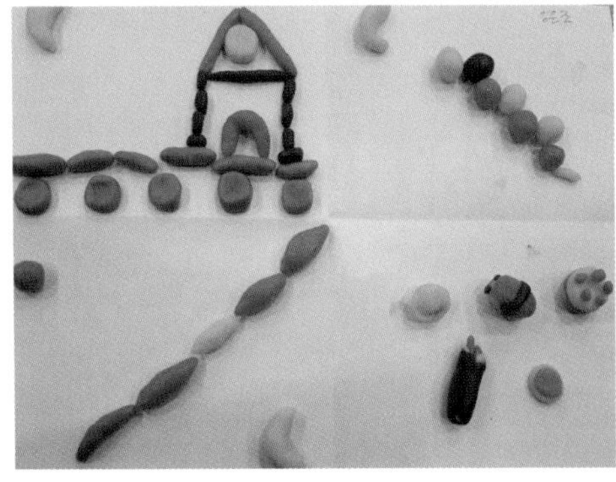

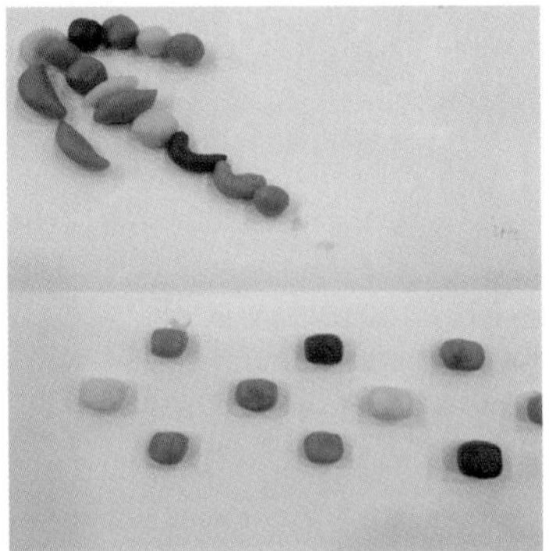

⑦ 8회기 (2016.12.06.)

수업
- 애니메이션 이야기를 할 때 가장 즐겁게 이야기함. 가람이와 많은 것들을 함.
- 브레인스토밍할 때도 거침없이 잘 씀.
- 만화를 가장 좋아하고 수학을 싫어함.

작품
- 만드는 걸 꼼꼼하게 잘하는 편임. 표현력이 좋음.
- 좋아하는 것은 주황색으로 표현 • 볼펜, 계란말이, 만화책
- 싫어하는 것은 초코색으로 표현 • 운동, 치마, 뱀

작품 및 활동사진

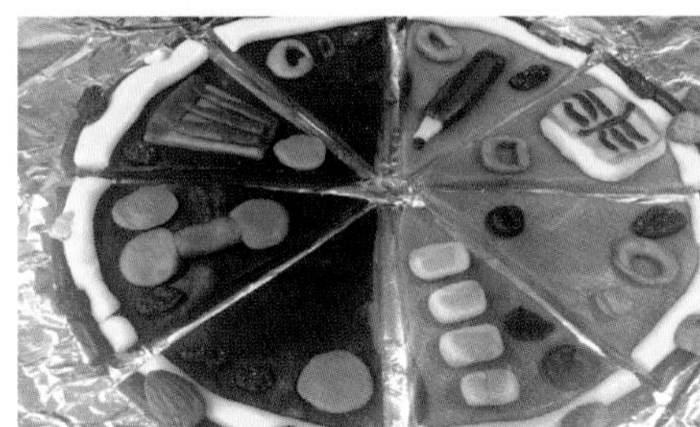

⑧ 9회기 (2016.12.20.)

수업
- 새로운 선생님과 잘 어울렸으며, 크리스마스에 관해 이야기도 잘 나눔.
- 민주는 김경희선생님과 많은 이야길 나눔. • 수업 초반에 선미와 약간의 말다툼이 이었었습니다.
- 민주는 선미가 시비를 건다고 불쾌하다고 하였습니다. 수업중에 민주는 예민해지는 경향이 있음.

작품
- 자신만의 크리스마스트리를 아주 잘 표현했음.

작품 및 활동사진

⑨ 10회기 (2016.12.27.)

꿈
- 쿠키 굽는 것, 정원을 가꾸는 것, 곰돌이 키우기, 애니메이션 작가가 되어 TV에 나오는 것이라고 말함.
- 쿠키를 만들 때 예민해지는 편임.

작품 및 활동사진

쿠키반죽색 선호도 검사

▼ 1회기와 6회기 쿠키반죽선호도검사
- 첫 회기에 색연필로 실시한 색채 선호도와 6회기에 실시한 쿠키로 실시한 선호도는 거의 일치함.

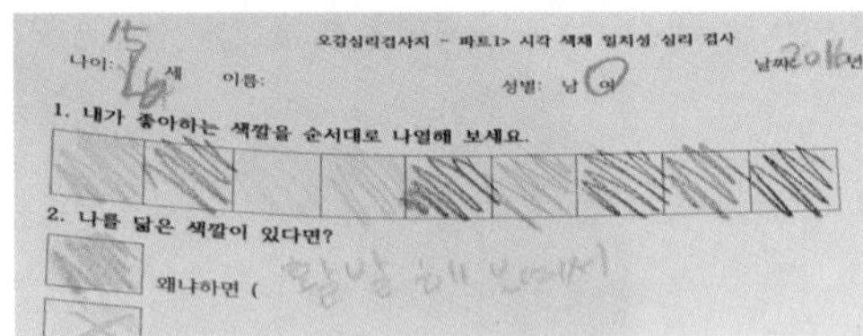

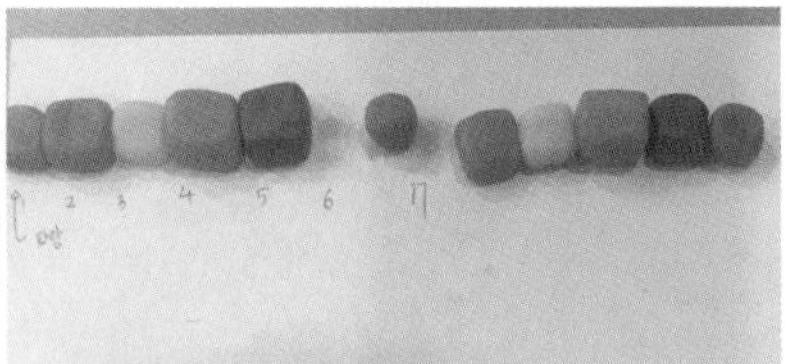

김민주 결과 분석

▼ 학생의 놀라운 변화
- 첫 회기에서 마지막 회기의 변화가 큰 편임.
- 회기가 진행될수록 좋아짐.
- 집중력도 좋아지고, 쿠키를 매우 좋아함.
- 3회기 이후에 적극적이며 활발해짐.

▼ 학생에게 보내는 조언
- 모든 회기마다 다툼이 있거나 화가 나거나 다툼이 생김.
- 화를 잘 조절하지 못함.
- 분노조절 훈련이 필요할 것으로 보임.

4. 개별 학생 사례

**부속중학교 2학년 마가람(15세) 색채검사지 및 활동사진

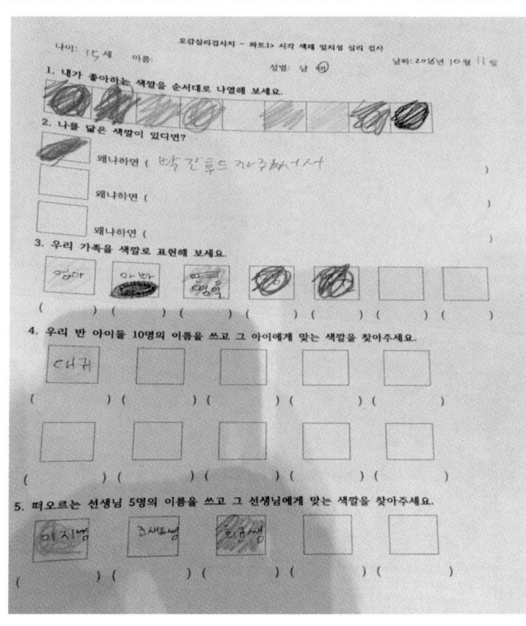

오감심리검사지 - 파트1> 시각 색채 일치성 심리 검사

나이: 15세 이름:

성별: 남 여

날짜: 2016년 10월 11일

1. 내가 좋아하는 색깔을 순서대로 나열해 보세요.

2. 나를 닮은 색깔이 있다면?

왜나하면 ( )

왜나하면 ( )

왜나하면 ( )

3. 우리 가족을 색깔로 표현해 보세요.

엄마 아빠

( ) ( ) ( ) ( ) ( ) ( ) ( )

4. 우리 반 아이들 10명의 이름을 쓰고 그 아이에게 맞는 색깔을 찾아주세요.

( ) ( ) ( ) ( ) ( )

( ) ( ) ( ) ( ) ( )

5. 떠오르는 선생님 5명의 이름을 쓰고 그 선생님에게 맞는 색깔을 찾아주세요.

( ) ( ) ( ) ( ) ( )

1) 좋아하는 색의 나열은 비교적 잘하였으나, 나머지는 거의 작성하지 않음. 귀찮아하는 경향이 있음.

4) 교우관계는 한 개 작성.
별명만 작성함.
다른 친구에게 관심이 없어 보임.
반 친구들의 이름을 모름. 기억이 나지 않는다고 표현함.

① 1회기 (2016.10.11.)

교우관계
- 김민주와 친하게 지내는 지냄. • 반 친구들의 이름을 모름. 기억이 나지 않는다고 표현함.
- 차준우가 어려운 상황에서 도와줬다고 말함.
- 별명에 관한 얘기를 할 때는 잠만보, 곰개(곰이랑 개를 닮아서)라고 얘기해줌.
- 김민주와 함께 서울코믹월드에 다녀왔다고 함.

성향
- 습관적으로 귀찮다는 말을 많이 하지만, 말과 행동은 활달한 편임.

수면 습관
- 수면 습관의 문제가 있어 보임. 밤에 잠이 오지 않는다고 말함.
- 밤에 주로 애니메이션을 본다고 말함.

쿠키만들기
- 쿠키를 만들 때는 적극적으로 잘 만들고 만드는 속도는 빠른 편임.
- 활동지 썼다가 지운 항목이 많은 편임.

작품 및 활동사진

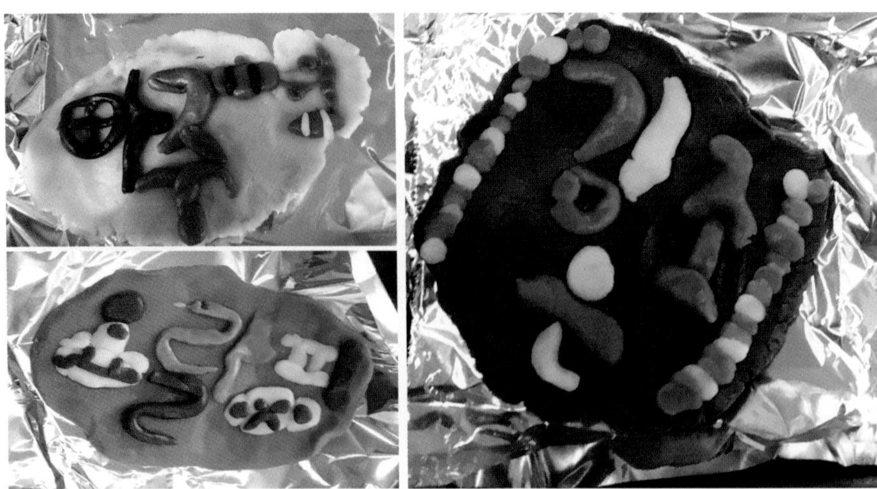

② 2회기 (2016.10.18.)

성향
- 마가람이는 자신을 잘 드러내지 않는다. • 그냥 툭툭 던지는 말을 하고 유머러스한 말투임.
- 비밀을 들었을 때나 아이들 얘기도 듣고 그냥 잊는다고 표현함.
- 친구의 이야기에도 귀담아듣고, 자신의 이야기도 잘 말함.
- 기억하지 못하는 것이 아니고 기억 안 한다고 표현을 함.

가족
- 자신은 나이 드신 부모님의 늦둥이이며 부모님은 자신이 없었으면 이혼하셨을 거라고 말함.
- 엄마 나이를 정확하게 모름. 엄마 나이를 기억을 잘못함. 귀찮다고 표현함.
- 오빠가 세 명이라고 말함.

자신에게 주고 싶은 선물
- 애완동물이라고 말함.
- 강아지를 그리려다가 힘들어하며 새로 바꿈.

쿠키만들기
- 작품을 빨리 잘 만드는 편임.

작품 및 활동사진

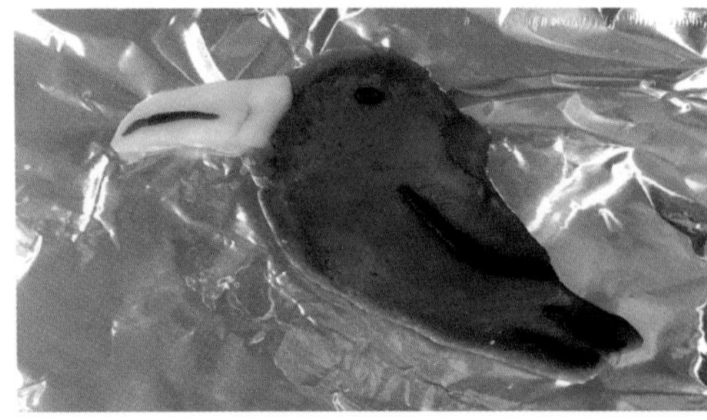

③ 3회기 (2016.10.25.)

오늘의 쿠키 활동

• 귀찮아하면서도 잘 만들어냄. • 친구의 이야기에도 귀담아듣고 말을 잘함.

작품 및 활동사진

학교 갈 때

수업중

학교 끝나고

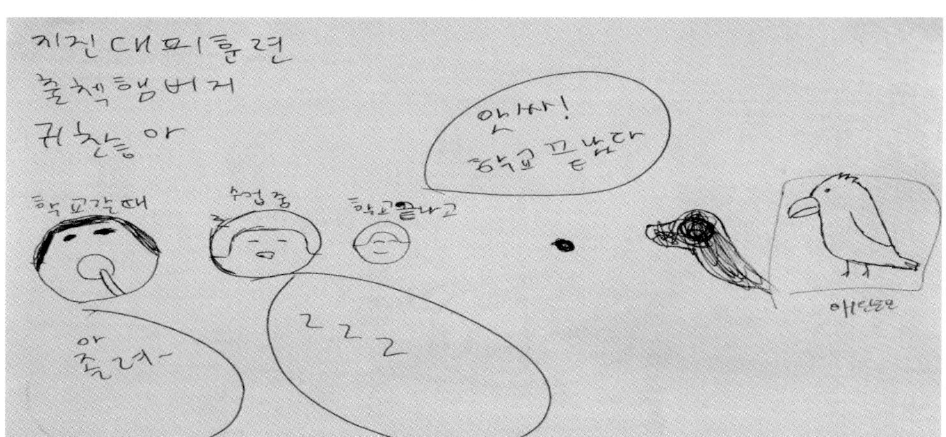

④ 4회기 (2016.11.01.)

애니메이션과 잠

• 밤에 애니메이션을 보느라 잠을 못 잤다고 말함. • 애니메이션을 좋아해서, 다방면에 지식이 많음.
• '기모찌'는 '기분 좋다'라는 뜻으로 쓰인다고 설명해줌. • 애니메이션을 좋아함.

쿠키만들기

만드는 것은 빠르지만, 주제를 잡고 시작은 시간이 걸리는 편임. 융통성 있게 수정도 잘함. 인물보다는 동물을 그리고 만드는 게 편하다고 말함. 늑대만 스케치하였음. 그림도 동물만 그린다고 함.

작품 및 활동사진

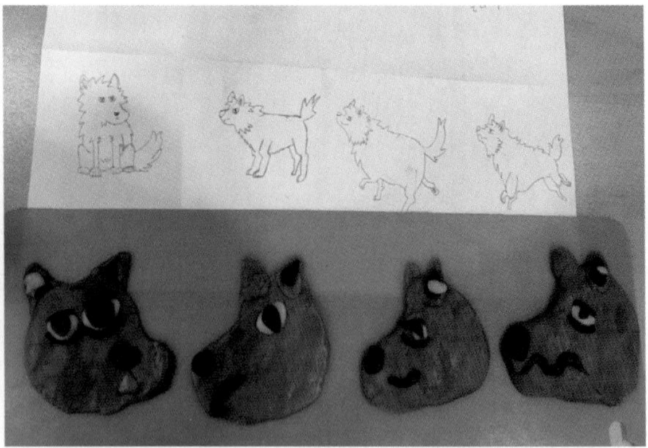

⑤ 5회기 (2016.11.08.)

친구
- 갑자기 함께한 마가람은 미현에게 말도 걸어 주고, 여러 가지를 알려주고, 재미나게 수업할 수 있도록 배려하면서 쿠키를 만들었음.

단체톡방
- 선생님의 전화번호를 먼저 물으면서 함께 단체 톡 방을 만들고 싶다고 하여, 전화번호를 알려주었음.

쿠키만들기
- 협동하는 과정도 어떤 피자를 어떻게 만들지 잘 의논하였고, 분업해서 멋진 피자를 완성할 수 있었고, 성취감도 느꼈음.

작품 및 활동사진

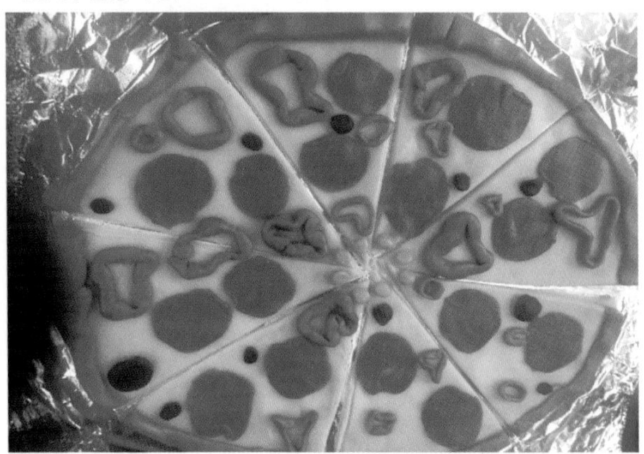

⑥ 6회기 (2016.11.22.)

수업
- 수학이 싫다고 흥분해서 말함. 수학 하야! • 김민주와 장난으로 몸싸움을 함.
- 익숙한 사람이 좋다고 말함. • 다음 주 팀별 수업에 새로운 선생님은 싫다고 말함.

작품
- 당구대와 자전거를 표현하였음. • 초록색 선택함. 파란색을 가장 좋아함.

작품 및 활동사진

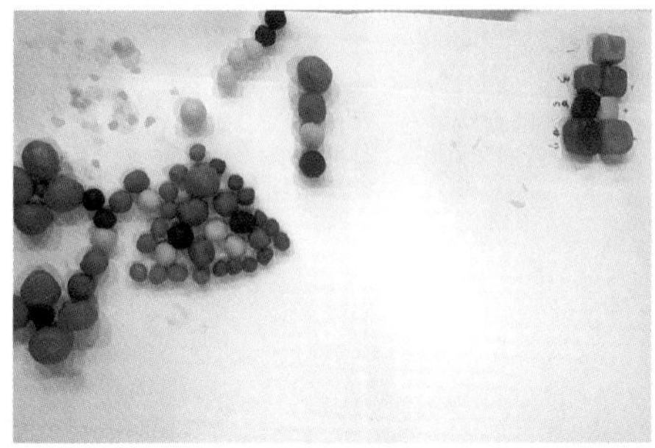

⑦ 7회기 (2016.11.29.)

수업
- 졸리고 피곤하다고 얘기함. • 방학 때는 밤새고 오후에 일어난다고 말함.
- 어색해서 불편해했음. • 익숙하지 않은 환경을 좋아하지 않음.
- 동물을 좋아해서 신비한 동물 사전이 재미있었다고 함. • 자신의 꿈을 말하는 것을 어려워함.

작품 및 활동사진

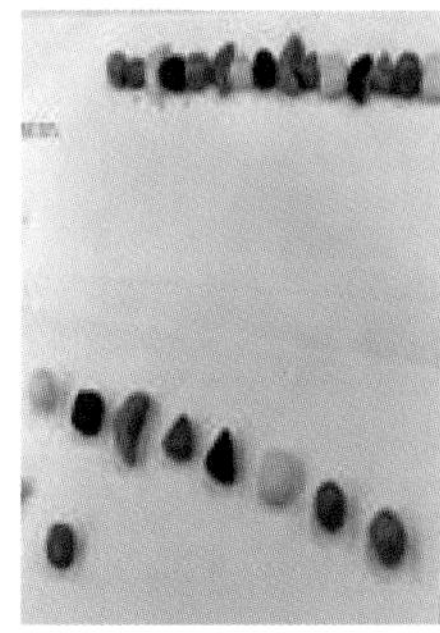
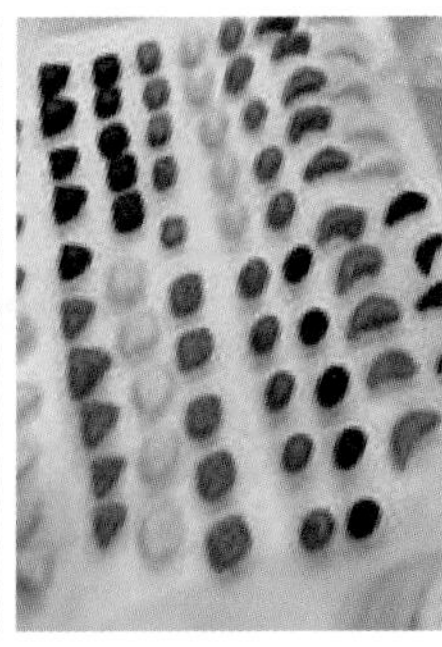
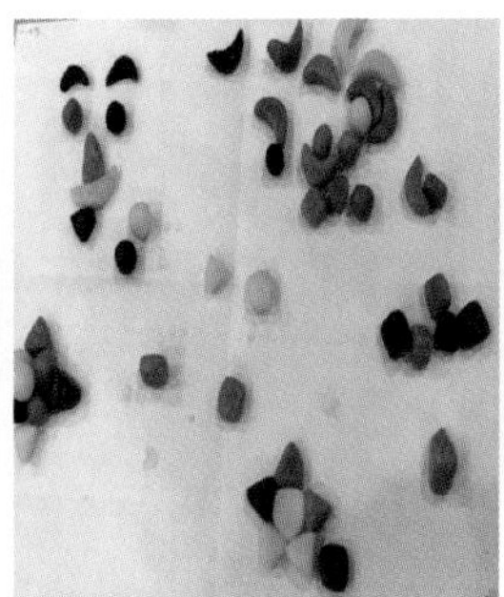

⑧ 8회기 (2016.12.06.)

수업

- 파란색을 좋아한다고 말함. • 기모찌에 대한 이야기를 함.
- 남자아이들이 보는 애니에도 나오고 여자애들이 보는 애니에도 많이 나온다고 말함.
- 아빠가 오늘 오토바이로 등교시켜주심.

작품

- 좋아하는 것은 초록색에 표현: 게임, 개, 만화책
- 싫어하는 것은 초코색에 표현: 초밥, 파프리카, 깻잎

작품 및 활동사진

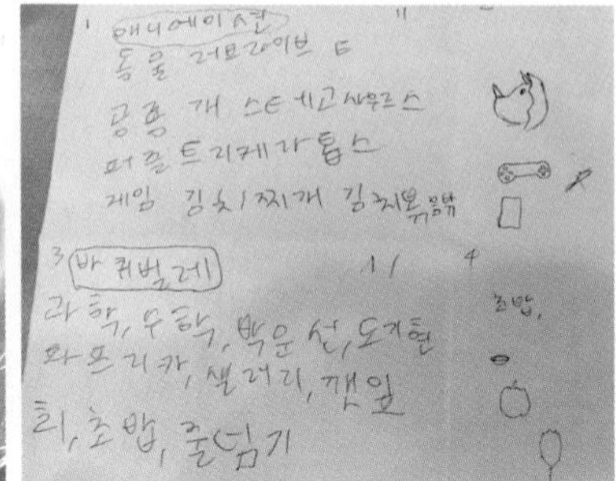

⑨ 9회기 (2016.12.20.)

수업

- 새로운 선생님과도 잘 어울렸으며, 크리스마스에 관한 이야기도 잘 함.
- 가람은 김순권 선생님과 많은 이야길 나눔.

작품

- 자신만의 크리스마스트리를 잘 표현함.

작품 및 활동사진

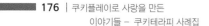

⑩ 10회기 (2016.12.27.)

꿈

- 자신의 꿈을 말하는 것을 계속해서 주저했으나, 친한 친구 김민주에게도 꿈을 밝힌 적이 없다고 함.
- 이번 회기에는 진지하게 표현하면서 사육사가 되고 싶다고 함.
- 여러 회기 꿈에 관해 물었었는데, 계속 진지하지 않게 말하기를 싫어했으며, 횟집 사장이라고 말했었는데 끝까지 생각해서 나중에 꿈을 밝힘.

수업

- 게임을 하려고 할 때 비적극적인 태도를 보임.
- 크리스마스 노래하기를 하고 있었는데, 시작도 전에 '난 포기' 한다고 말함.
- 아는 노래도 없고, 생각나는 것도 없다고 함.

작품 및 활동사진

쿠키반죽색 선호도 검사

▼ 1회기와 6회기 쿠키반죽선호도검사

- 첫 회기에 색연필로 실시한 색채 선호도와 6회기에 실시한 쿠키로 실시한 선호도의 변화가 거의 없음.

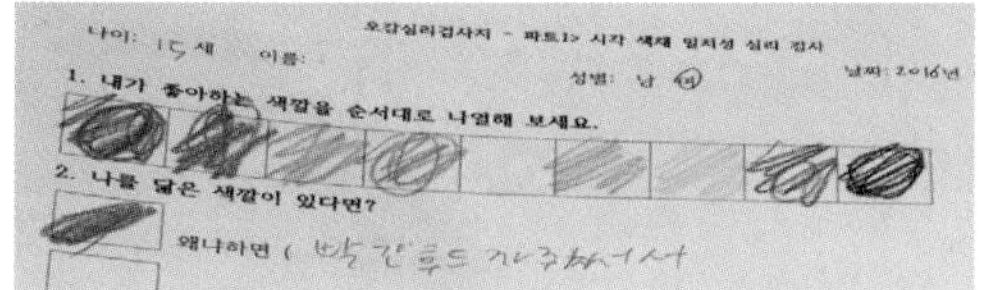

나이: 15세 이름:

성별: 남 여 날짜: 2016년

1. 내가 좋아하는 색깔을 순서대로 나열해 보세요.

2. 나를 닮은 색깔이 있다면?

왜냐하면 (

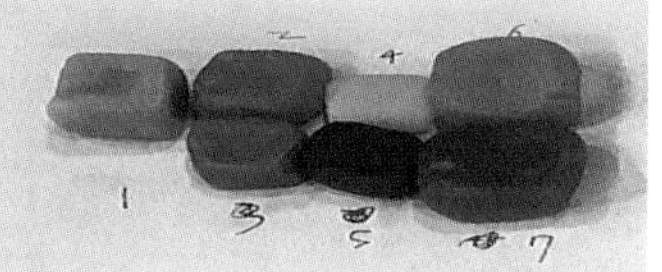

마가람 결과 분석

▼ 학생의 놀라운 변화

- 마가람은 초기에는 '귀찮다', '싫다'라는 말을 많이 하였으나, 후기로 갈수록 '귀찮다'라는 말을 하는 횟수가 줄어들고 적극적인 자세로 바뀜.
- 사람에 대해서 두려움이나 선입견이나 상처 있는 것으로 보이나, 동물에 대해서는 거부 반응 없이 다가감.
- 말을 거칠게 하지만, 의리가 있고 남성적 성향으로 보임.
- 자신의 감정을 줄 사람이 없거나, 주었을 때 상처를 받았던 경험이 있었을 가능성이 있음.
- 초기에는 거의 오픈하지 않았으나, 후기에는 자신을 오픈함.
- 7회기까지도 자신의 꿈을 말하는 것을 주저했었으나, 10회기에는 가장 친한 친구인 민주에게도 말하지 않았던 자신의 꿈을 오픈함.

4. 개별 학생 사례

****부속 중학교 1학년 강선미(14세) 색채검사지 및 활동사진**

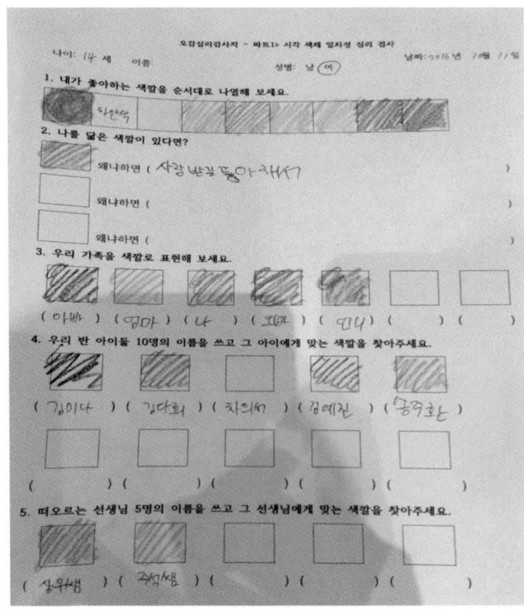
나이: 14 세 이름

성별: 남 (여)

1. 내가 좋아하는 색깔을 순서대로 나열해 보세요.

2. 나를 닮은 색깔이 있다면?

왜나하면 (사랑 받고 싶어서)

왜나하면 ( )

왜나하면 ( )

3. 우리 가족을 색깔로 표현해 보세요.

(아빠) (엄마) (나) ( ) (언니) ( ) ( )

4. 우리 반 아이들 10명의 이름을 쓰고 그 아이에게 맞는 색깔을 찾아주세요.

( ) ( ) ( ) (김예진) ( )

( ) ( ) ( ) ( ) ( )

5. 떠오르는 선생님 5명의 이름을 쓰고 그 선생님에게 맞는 색깔을 찾아주세요.

( ) ( ) ( ) ( ) ( )

1) 빨간색을 제일 좋아하고 자신을 나타내는 색 또한 빨강이라고 표현함.

3) 가족 중에 10가지 색에 들어있지 않은 색깔 사용함. 가족 중에서 가장 먼저 떠오르는 사람으로 아빠를 적음. 아빠를 검정 색깔로 표현함.
나머지 가족 오빠, 언니 또한 선호 색의 뒤쪽 색들로 칠함.

4) 반 친구들 이름은 다 외웠다고 말함. 하지만 적은 친구는 몇 명임.

① 1회기 (2016.10.11.)

발작
- 어릴 때 층계에서 구른 뒤 발작을 한다고 말함.

학교생활
- 학교 선생님 중 수학 선생님을 좋아함.

성향
- 조금 흥분된 상태에서 수업을 받았음.
- 노래를 많이 부름.
- 중간에 관련 없는 말을 계속하기도 함. 애니메이션 이야기를 하다가 애니메이션 흉내를 냈음.
- 도마를 돌려줄 때 깨끗이 정리해서 돌려줌.

아빠와 관계
- 아빠를 무서워하는 것으로 보임.
- 외출 금지를 당해서 학교에 못 간 적도 있다고 말함.
- 싫어하는 사람을 아빠라고 썼다가 지움. 아빠와 갈등 관계에 있을 수 있음.
- 쿠키 수업을 하는 것을 허락받는 것이 어려워 상담 선생님께서 아빠에게 전화해줌.

쿠키만들기
- 다른 학생에 비해 느리게 만드는 편임.
- 활동지를 썼다 지웠다 한 항목이 많은 편임.

작품 및 활동사진

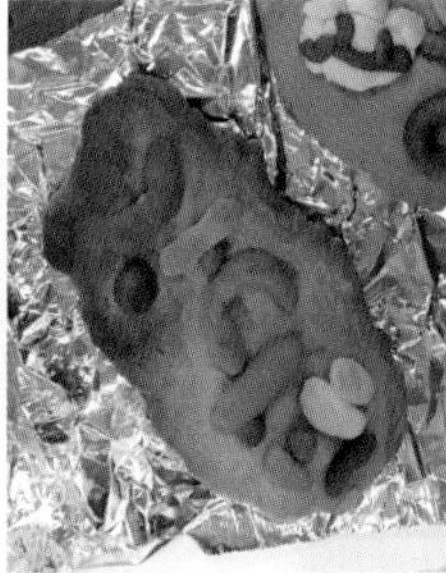

② 2회기 (2016.10.18.)

학교생활
- 아이들의 따돌림 때문에 학교에 다니는 게 힘이 들지만 기댈 사람이 있어 다닌다고 말함.
- 수학 선생님이 좋아서 학교에 다니는 게 즐겁다고 말함. • 아이들이 모둠을 같이하기 싫어한다고 말함.
- 그래서 계속 준우하고만 같이 한다고 말함.
- 같은 학교에서 올라오고 소문이 돌면서 결국 다시 따돌림당하게 된다고 말함.
- 초등학교 3학년까지는 괜찮았는데 전학을 4학년 때 두 번 하면서 그렇게 되었다고 말함.

가족
- 아빠가 무섭다고 말함. • 아빠와 잘 지내고 싶지만, 아빠는 자신을 잘 받아주지 않는다고 표현함.
- 진짜 아빠가 아니라고 말함. • 엄마 나이 35세라고 말함.

쿠키만들기
- 표현력이 좋고 잘 만들지만, 조금 느린 편임. • 세 번째 눈물까지 표현.
- 네 번째도 눈물 표현. • 감정이 풍부하고 명랑함.

작품 및 활동사진

입학 할 때 | 초 3때 | 두번의 전학 | 초 4때 | 현재

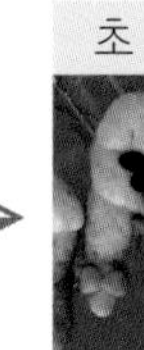

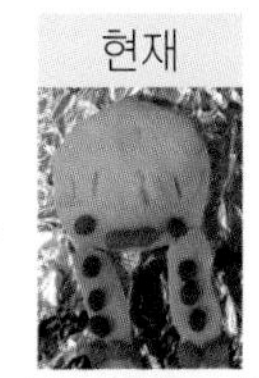

아무생각 없고 즐거움 | 자신감 넘치고 즐거움 | 자신감 떨어짐 | 자신감 떨어지고 무서움

③ 3회기 (2016.10.25.)

성향
- 자신을 도와줬으면 한다고 말함. • 학급에서 담임선생님께서 자신을 도와줬으면 한다고 말함.
- 선미는 계속해서 칭찬받기를 원함.

자기애
- 학교에 있는 사람들도 싫다고 대답함. • 자신 외에 다 싫다고 대답하였음.
- 마가람, 차준우, 김민주 김미현은 괜찮다고 생각한다고 말함
- 지금 자신의 모습이 좋고, 싫은 것은 집에 있는 사람들이 다 싫다고 말함.
- 추후 가족에 대해 지켜봐야 할 것 같음.

쿠키만들기
- 집중력이 많이 필요한 마블을 잘 이해하지 못하였음.
- 계획한 것보다 잘되지 않았음. 자신을 도와줬으면 하는 욕구가 많았음.
- 포기하지 않고 도움을 요청함. • 이 쿠키를 보고 떠오르는 감정 표현해 보기
- '수학 문제 같고 너무 꼬여 있다.'라고 느낌을 표현함.
- '마음이 어지럽다, 심란하다.'라고 느낌을 표현함.

작품 및 활동사진

④ 4회기 (2016.11.01.)

성향
- 농담을 많이 하고 '웃겨줘야 한다'라고 말함.
- 목소리도 크고 또박또박 말도 잘하여 활동지 할 때 문제를 읽는 것을 맡기니 좋아함.
- 노래도 잘할 거 같다고 하니 오디션 프로그램에 나갔던 이야기를 했음.
- 애니메이션 흉내를 많이 냄. • '기모찌' 게임도 좋아함. • '포켓몬 고'에 관한 이야기도 많이 함.

수학 선생님
- 아파서 학교에 늦게 등교하였음. • 수학 선생님을 봤다고 말함. • 수학 선생님이 계셔서 너무 좋다고 표현함.

쿠키 만들기
- 쿠키만 하려고 등교하였음. • 만화를 그리는 것을 잘하였고 말풍선에 글을 써넣는 활동도 즐겼음.
- 꼼꼼하게 잘 만드는 편이지만, 느림.

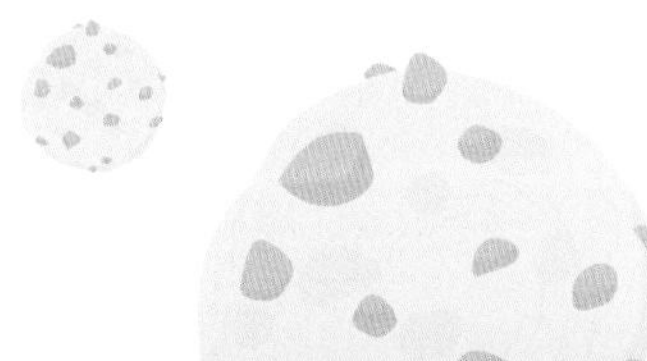

작품 및 활동사진

⑤ 5회기 (2016.11.08.)

수업
- 수업에 열심히 참여하는 편임. • 자신의 이야기에 귀 기울여 달라고 말함.
- 사람이 말하면 귀 기울여야 한다고 말함. • 짜증은 좀 있지만 '행복해'라고 말함.
- 애니메이션 흉내를 자주 내고, 노래를 자주 부름. • 피라미드 모양으로 만듦.
- 지난번에 검사하러 간 뒤에 약을 올렸다고 말함.

작품
- 사랑에 대한 집착이 강해 보임. • 애니메이션 장르 중에 애정물을 좋아한다고 함.
- 큐피트의 화살과 케이크, LOVE와 웃는 모습을 만들었음. • 사랑이 넘치는 작품임.
- 색의 선호도는 1번 주황색, 2번 초코색, 3번 빨간색, 4번 초록색, 5번 파란색, 6번 흰색, 7번 보라색이라고 함.

작품 및 활동사진

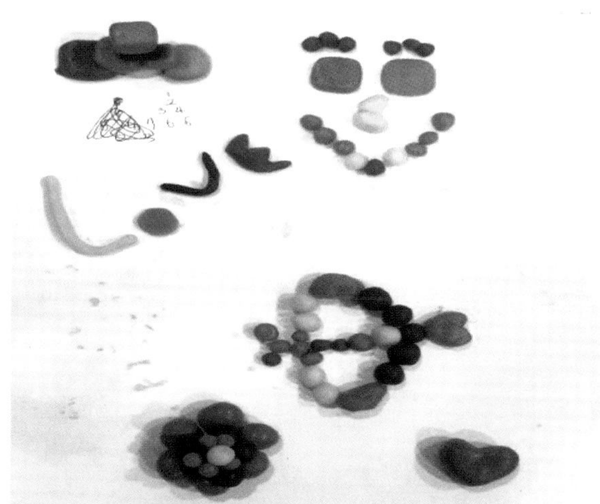

⑥ 7회기 (2016.11.29.)

수업
- 지난주엔 아무나 걸려도 상관없다고 말했었다.
- 이미호라는 아이가 어깨빵을 자주해서 아프다고 호소함.

작품
- 애니메이션을 표현함.
- 선미는 하트, 네모, 원, 세모, 빨간색, 주황색, 연두색, 초코색, 흰색, 줄다리기를 표현함.

작품 및 활동사진

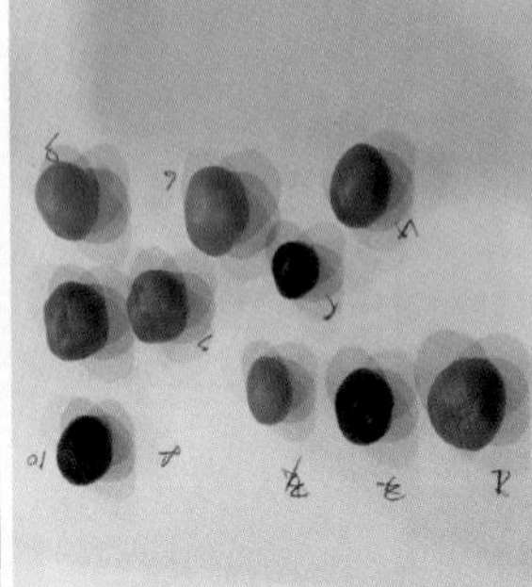
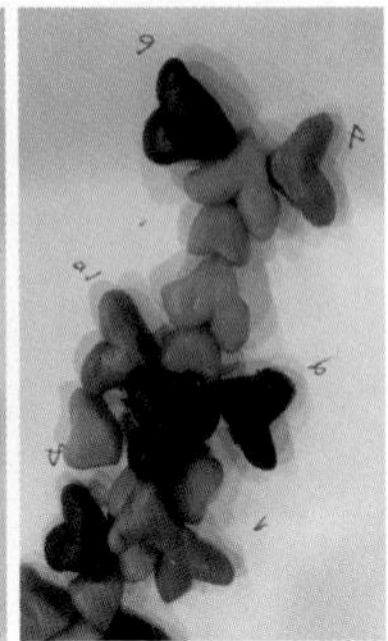

⑦ 9회기 (2016.12.20.)

수업
- 크리스마스에 관한 이야기도 잘 함.
- 선미는 길미현 선생님과 많은 이야길 나누었음.
- 수업 초반에 김민주와 약간의 말다툼이 있었음.
- 김민주는 자기 항변을 적극적으로 하지 않고 지나갔음.

작품
- 마치 카드처럼 잘 만듦.
- 다른 친구들과는 조금 달랐지만 잘 만들었음.

작품 및 활동사진

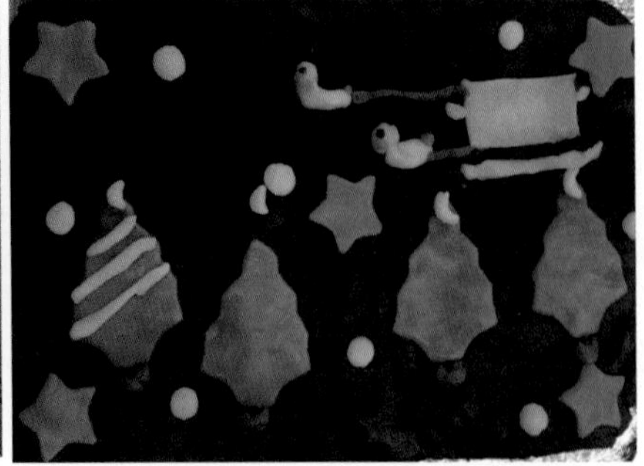

⑧ 10회기 (2016.12.27.)

수업
- 성우가 되고 싶다 함. • 너무 잘 어울린다고 격려함. • 교대에 가서 선생님이 되고 싶어 함.
- 선물을 나누어 주는 기쁜 존재인 산타가 되고 싶다고 함.
- 높은 사람이 되고 싶다 함. • 여러 가지 꿈을 가지고 있고 열의가 있음.

작품 및 활동사진

쿠키반죽색 선호도 검사

▼ 1회기

오감심리검사지 - 파트1> 시각 색채 일치성 심리 검사
나이: 14 세 이름:
성별: 남 여
1. 내가 좋아하는 색깔을 순서대로 나열해 보세요.
2. 나를 닮은 색깔이 있다면?
왜냐하면 (사랑 받길 좋아해서

▼ 6회기

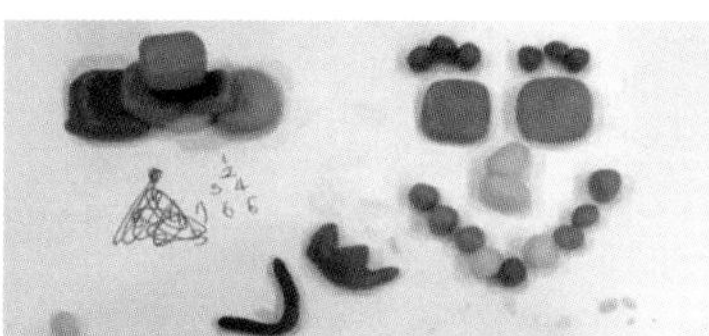

- 1번 주황색, 2번 초코색, 3번 빨간색, 4번 초록색, 5번 파란색, 6번 흰색, 7번 보라색
- 1회기에 색연필로 실시한 색채 선호도와 6회기에 쿠키로 실시한 선호도가 거의 변화 없음.

강선미 결과 분석

▼ 학생에게 보내는 조언
- 타인에 의지하고, 자신을 사랑해 달라고 이야기함.
- 관심 가져주기를 바라고, 사랑과 칭찬에 목말라함.
- 감정의 기복이 너무 심해서 조울증 성향이 있는 것으로 보임.
- 강선미 학생의 경우 지속적인 관심과 사랑으로 좀 더 나아질 것으로 보임.

4. 개별 학생 사례

**부속 중학교 2학년 김미현(16세)

① 2회기 (2016.10.18.)

성향
- 작년에 만났던 미현이는 그때보다 웃음이 많아졌음. • 집중해서 잘 만듦.

학교생활
- 중학교 1학년 때는 조용히 지냄.
- 중학교 2학년 때 *찬이라는 친구를 만나 생활이 더 좋아짐.
- 중3 현재 앞으로 고등학교에 가는 것이 두려움을 갖고 있음.
- 예찬과 친구가 되면서 회복이 많이 되었음.
- 새로운 환경이 걱정된다고 표현했고 많이 회복 되었음.
- 새로운 환경이 걱정되고 나만의 시간을 갖고 싶음.

쿠키만들기
- 표현력이 좋고, 큰 웃음으로 기분 좋게 해줌.

작품 및 활동사진

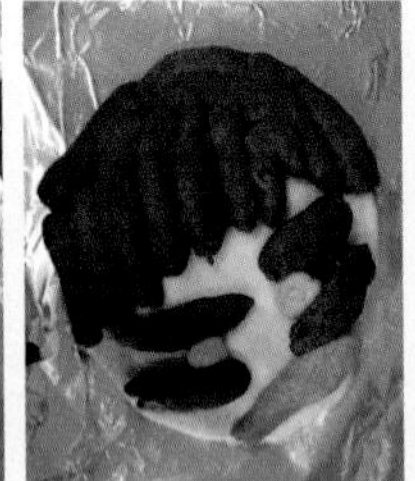

중1 ≫ 조용히 지냄　　중2 ≫ 평온　　중3 ≫ 졸업 두려움

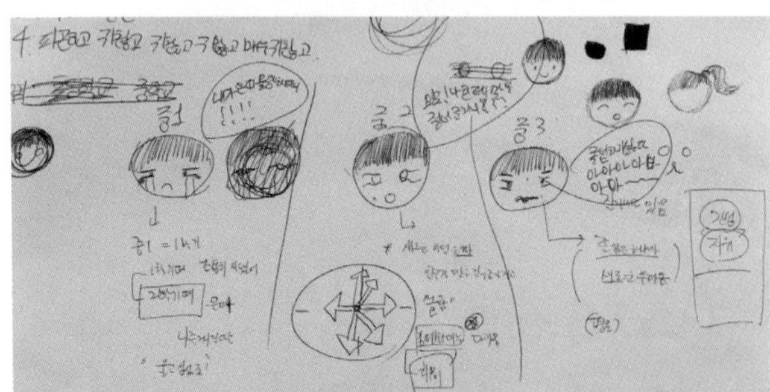

쿠킹플레이 1시간은 빠졌지만 그래도 오늘은 쿠킹플레이는 너무재미있었다.
쿠키로 다양한 모양을 만들수 있다는게 신기하다.

② 3회기 (2016.10.25.)

연탄봉사
- 힘들지만 보람이 있다고 말함.
- 짜장면 먹는 것에 좋았다고 함.
- 짜장면 먹었던 기억이 좋았다고 말하며, 짜장면을 외쳤음.
- 연탄 봉사하면 손에 묻는다고 말함.

쿠키만들기
- 마블을 이해했지만, 어려운 과제를 해내지는 못했고 시도하려고 하지 않음.
- 꼼꼼하게 쿠키를 만들어 냈으며, 이 쿠키를 보고 떠오르는 감정을 표현함.
- 쿠키를 보고 복잡함을 느낀다고 대답함.

작품 및 활동사진

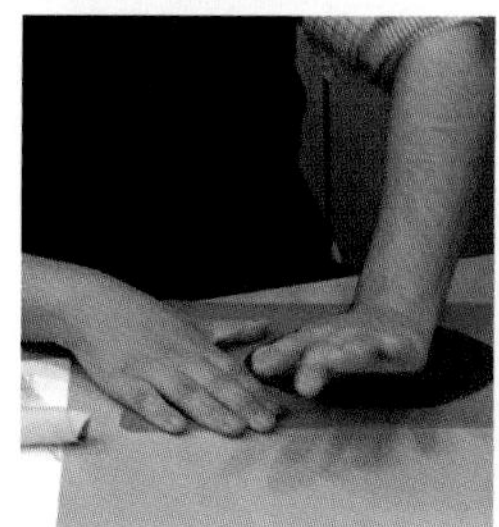

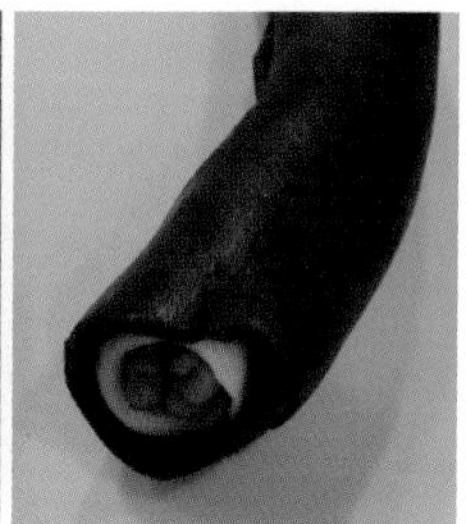

③ 5회기 (2016.11.08.)

연탄봉사
- 연탄 봉사 갔을 때 너무 추워서 처음 계획했던 것보다 적게 했다고 하였음.
- 힘들기도 했지만 보람된 경험이라 말함.

리더쉽
- 미현은 리더십이 있고, 의논할 때도 유머러스하게 마가람과 미현이를 잘 이끌어 가면서 피자를 만들었음.

가족
- 엄마에 관한 이야기 중에 엄마가 다혈질이라고 말하였음.
- 엄마와의 냉전을 하게 되면 힘이 든다고 표현했음.

작품 및 활동사진

④ 6회기 (2016.11.22.)

수업
- 시험을 망쳤다고 말함.
- 와! 수학 너무 싫어~~라고 말하고 갑자기 수학 싫다! 수학 하야! 가람이와 함께 크게 외침.

작품 (1)
- 볼은 두 개를 남김. '난 10개만 만들면 되고!'라고 외침.
- 당구대와 대를 만들었음. 당구를 쳐본 적은 없다고 함.
- 네모를 이용해서 색깔 호감도를 알아보았다. 1번 흰색

작품 (2)
- 미현이는 당구대와 대를 만들었음. 당구 친 적은 없다고 함.
- 네모를 이용해서 색깔 호감도를 했다. 1번 흰색
- 2번 빨간색, 3번 보라색, 4번 주황색, 5번 초코색, 6번 연두색, 7번 파란색

작품사진

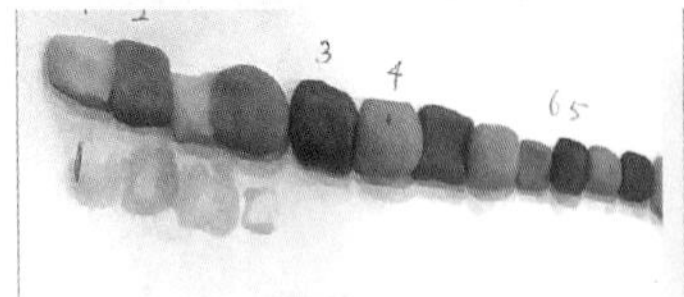

⑤ 7회기 (2016.11.29.)

수업
- 브레인스토밍하여 쓰는 것을 느리게 작성함.
- 댄스학원에서 근력운동을 해서 힘들다고 함. 댄스에 근력이 필요함.
- 진로 콘서트에 대해 말함. 지루했다고 함. • 수업 시간이나 사람들을 대할 때 유머가 있음.

작품
- 좋아하는 것은 초코색으로 표현: 핸드폰, 떡볶이, 김밥
- 싫어하는 것은 초록색으로 표현: 운동, 브로콜리, 식혜

작품 및 활동사진

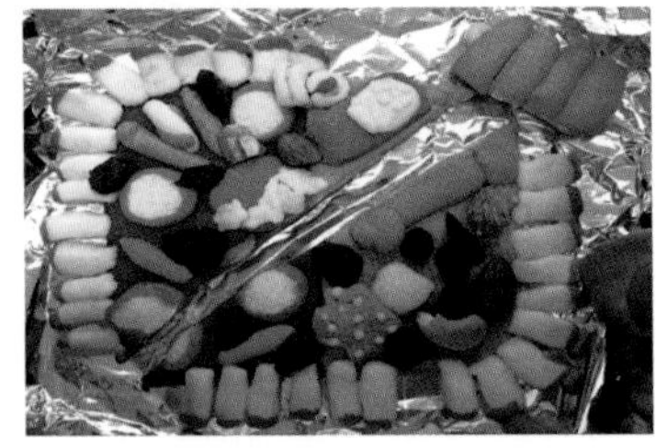

⑥ 9회기 (2016.12.20.)

수업
- 익숙한 선생님과 팀이 되어 좋아함.
- 이숙희 선생님과도 잘 어울렸으며, 크리스마스에 관한 이야기도 잘 함.
- 미현이는 이숙희 선생님과 많은 이야길 나누었습니다.

작품
- 자신만의 크리스마스트리를 아주 잘 표현함다.

작품사진

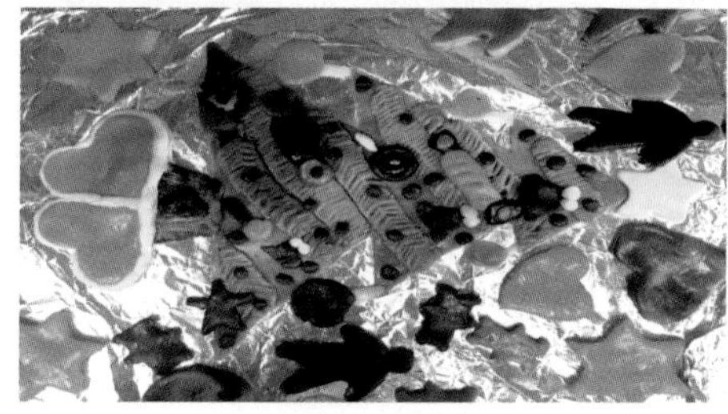

⑦ 10회기 (2016.12.27.)

꿈
- 자신의 꿈을 당당히 밝힘. • 초등학교 교사가 되고 싶다고 함. • 사대부고에 가고 싶다고 표현함.

작품사진

김미현 결과 분석

▼ 학생의 놀라운 변화
- 김미현 학생의 경우 2015년에 비해 정서적으로 많이 안정된 상태로 만났음.
- 고등학교 생활에 대한 두려움을 가지고 있으나 확고한 꿈을 가지고 있어 긍정적인 상태를 기대해 봄.

학교 밖 학생들과 함께한 쿠키테라피

1. K대 평생교육원 수업 개요

회 기	10회기	참석인원	10 명	지도자	조성연
일 시	2016년 9월 30일 ~ 12월 9일 (총 10주)	장 소	K대학교 바리스타과 제과실습실		
대 상	16세~19세 남녀 10명 안팎의 학교 밖 청소년				
목 표	학교 밖 청소년들을 위한 평생교육 • 쿠키플레이를 통한 즐거움 • 쿠키플레이를 통한 안정감 • 쿠키플레이를 통한 힐링				

** K소재 OO중학교 3학년과 OO고등학교 3학년 재학생

2. 학교 밖 청소년을 위한 수업계획서

회기	주제	활동내용	기대효과	도구
1	나는 누구인가?	• 바탕쿠키에 내이름 • 바탕쿠키에 내가 좋아하는 사람 • 바탕쿠키에 내가 싫어하는 사람 • 메시지 남기기	자기감정인식, 흥미, 안정감	쿠키생지, 오븐
2	세가지 분기점으로 표현하기.	• 세 가지 분기점으로 표현하기	자기감정인식, 흥미, 안정감	쿠키생지, 오븐
3	Yummy 마블쿠키 (좋아하는 음식 만들기)	• 많은 쿠키를 만들어 보고 • 나누어 갖는 시간 갖기	자기감정인식, 흥미, 성취감	쿠키생지, 오븐
4	네임&얼굴쿠키를 이용한 컵케이크 만들기	• 오렌지초코컵케이크를 만들기 • 컵케이크를 선물하고 싶은 사람의 이름과 얼굴쿠키를 만들어 컵케이크 위에 꽂아 완성하는 시간	자기감정인식, 흥미, 안정감	쿠키생지, 오븐
5	가장 즐거웠던 여행은?	• 가장 즐거웠고 기억에 남는 여행에 대한 기억들을 쿠키위에 표현	자기감정인식, 흥미, 성취감	쿠키생지, 오븐
6	피자만들기	• 4명을 한 조로 피자만들기를 통해 협동심과 배려심을 배우게 한다.	자기감정인식, 흥미, 안정감	쿠키생지, 오븐
7	러블리 빼빼로 만들기	• 이 세상의 하나밖에 없는 러블리한 수제 빼빼로를 만들면서 선물하고 싶은 사람에 대해 생각해보는 시간	자기감정인식, 흥미, 안정감	쿠키생지, 오븐
8	나의 꿈은 무엇인가?	• 미래에 자신의 꿈을 생각해보고 쿠키위에 표현하는 시간	자기감정인식, 흥미, 성취감	쿠키생지, 오븐
9	제누와즈 만들기	• 다음주 크리스마스케이크를 위한 제누와즈를 만들어 놓는 시간	자기감정인식, 흥미, 안정감	쿠키생지, 오븐
10	크리스마스 케이크 만들기	• 한 해를 마무리하며 적고 싶은 메시지를 쿠키 위에 적어보기. • 티라미수케이크위에 쿠키로 장식	자기감정인식, 흥미, 성취감	쿠키생지, 오븐

3. 학생별 보고서

● 김** (가명, 중3)

Theme	화목한 가정 환경 / 손재주
특 징	조용하면서 적극적이며 성실하며 수업 후에는 뒷정리까지 잘 함

1회차

주제: 네임쿠키

본인의 이름과 별명

'가족'쿠키 만듦

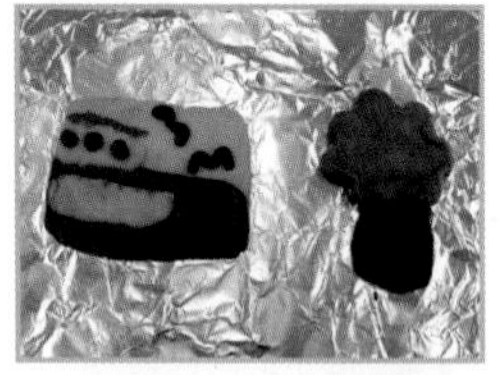

5회차

주제: 가장 즐거웠던 여행

여름에 배 타고 섬으로 가족 여행

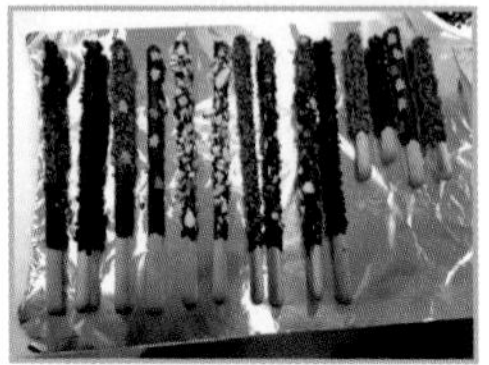

7회차

주제: 빼빼로만들기

가족들에게 선물

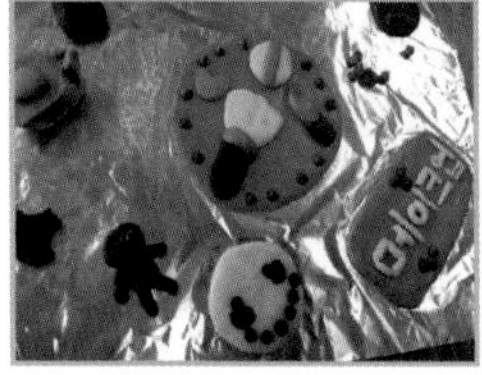

8회차

주제: 나의 꿈

메이크업 아티스트

쿠플과의 <6> 번째 만남

♡ 오늘 나는?

♩하루 동안 가장 기억에 남는 일은 무엇인가요?

군장대 학교 온일.

♫ 오늘 하루 나의 기분은 어떤가요?

매우 좋음.

♪한 주 동안 가장 기억에 남는 일은 무엇인가요?

가족들과 저녁에 데이트.

오늘의 나의 쿠키 플레이의 출발...

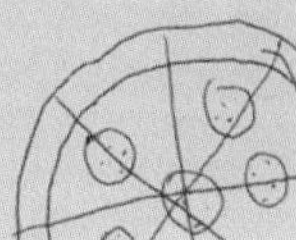

(6회 워크지)

- 하루 동안 가장 기억에 남는 일은?
  :K대 온 것
- 한 주 동안 가장 기억에 남는 일은?
  :가족들과 저녁에 데이트

결론

- 정서적으로 안정된 **는 쿠키플레이와 베이킹 수업태도 모두 모범이 되며 손재주가 뛰어남.
- 모든 작품 속에 가족에 대한 사랑의 마음이 엿보이며 화목한 가정에서 안정된 양육이 이루어지고 있음을 엿볼 수 있음.

3. 학생별 보고서

● 최* (가명,중3)

Theme	의욕상실
성 향	말이 없고 우울해 보이며 수업에 집중하지 못하고 늘 모자를 눌러 쓰고 다님.

1회차

주제: 네임쿠키
모든 이름을 외자로 표현
메시지쿠키는 만들지 않음

5회차

주제: 가장 즐거웠던 여행
알 수 없는 형상쿠키를 만듦

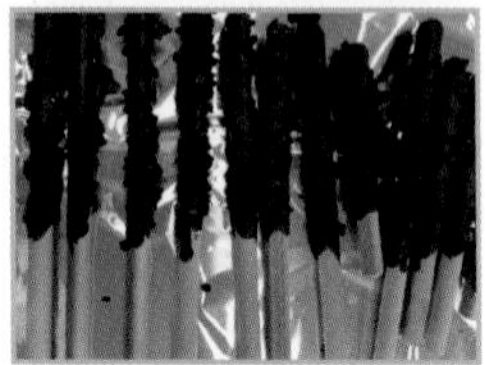

7회차

주제: 빼빼로
15분 정도 소요. 대충 완성

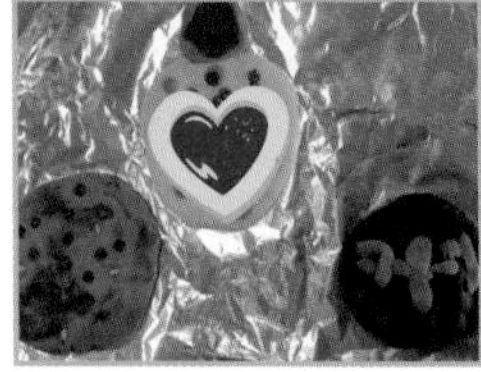

8회차

주제: 나의 꿈
꿈이 없으며 생각이 안 남

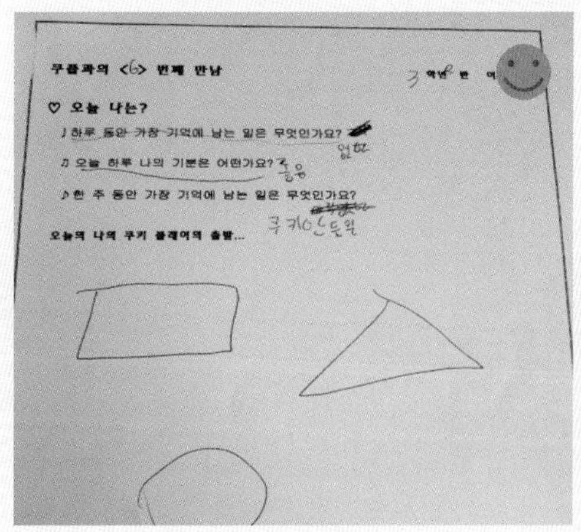

쿠플과의 <6> 번째 만남

♡ 오늘 나는?

♩하루 동안 가장 기억에 남는 일은 무엇인가요?

♫ 오늘 하루 나의 기분은 어떤가요?

♪한 주 동안 가장 기억에 남는 일은 무엇인가요?

오늘의 나의 쿠키 플레이의 출발...

(6회 워크지)

· 하루 동안 가장 기억에 남는 일은?
　:없다

· 오늘 하루 나의 기분은 어떤가?
　:좋음

결론

• 수업시간마다 말수가 없고 만들 의욕이 없어 보였지만 마지만 시간에는 감사메시지쿠키를 만들어 나에게 선물

• 케이크 완성 후 사진 찍을 때 처음으로 웃음 보임.

3. 학생별 보고서

● 이** (가명,고3)

Theme 낯가림

성 향 말투와 표현이 직선적이고 솔직낯가림이 있는 듯 하고 감정 기복이 엿보임.

1회차

주제: 네임쿠키

본인 이름과 여자친구 이름 만듦

4회차

주제: 얼굴쿠키와 머핀

본인 이름과 여자친구 이름

5회차

주제: 가장 즐거웠던 여행

가족들과 제주도 여행

6회차

주제: 피자

귀찮은 듯 안 만들다가 친구들과 완성

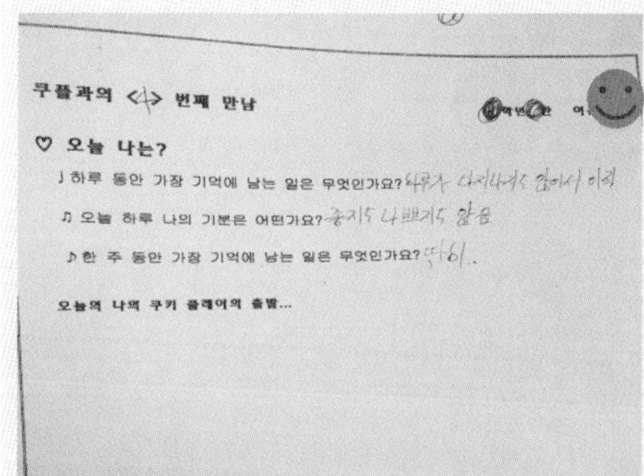

쿠플과의 <4> 번째 만남

♡ 오늘 나는?

♩하루 동안 가장 기억에 남는 일은 무엇인가요? 하루가 다 지나가지 않아서 아직

♫ 오늘 하루 나의 기분은 어떤가요? 좋지도 나쁘지도 않음

♪한 주 동안 가장 기억에 남는 일은 무엇인가요? 딱히..

오늘의 나의 쿠키 플레이의 출발...

(4회 워크지)

· 하루 동안 가장 기억에 남는 일은?
  :하루가 다 지나가지 않아서 아직…
· 오늘 하루 나의 기분은 어떤가?
  :좋지도 나쁘지도 않음

결론

수업에 오면 인사도 안하고 주로 게임을 하며 사진 찍을때면 손으로 얼굴을 가리며 '찍지 말라'고 소리쳤는데, 마지막회차로 갈 수록 적극적이고 선뜻 'V'자를 만들며 멋진 웃음을 보여주었다.

3. 학생별 보고서

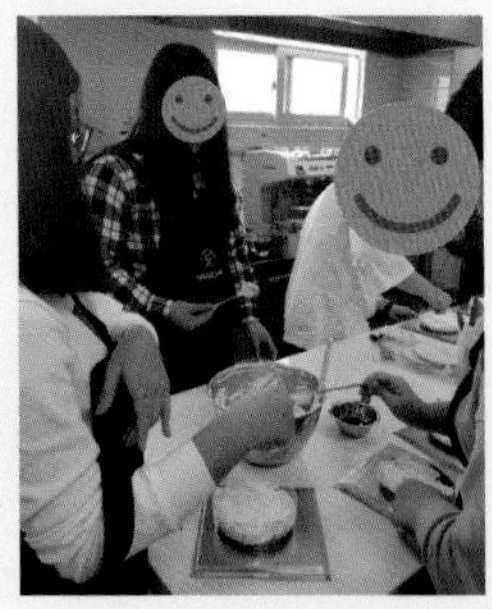

● 박** (가명,중3)

Theme	마음의 문
성 향	표정이 어둡고 우울한 느낌 머리카락으로 얼굴을 가림 마음속에 돌덩이 있는 느낌

1회차

주제: 네임쿠키

좋아하는 사람: 인피니트

싫어하는 사람: 오빠

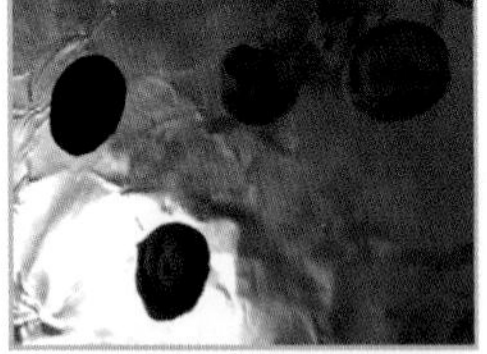

3회차

주제: 마블쿠키

알 수 없는 형상쿠키 만듦

9회차

주제: 제누와즈만들기

다른 날과 달리 열심히 참여하고 뒷정리

10회차

주제: 크리스마스케이크

슈퍼주니어 그룹을 좋아함

♥ 오늘의 나의 쿠키 플레이의 마무리...
<오늘 쿠키를 만들면서 생각난 것이나 느낀 것을 나누어 주세요~>

마지막이여서 아쉽고.
다음에 기회가 있으면 또 하고싶다.

(10회 워크지)
· 오늘의 나의 쿠키 플레이 마무리
:마지막이어서 아쉽고, 다음에 기회가 있으면 또 하고 싶다.

결론

- 친구들과도 말 한마디 안하고 얼굴을 푹 숙인채 있을때가 많았는데 9회차부터 마음의 문을 여는 듯 했음.
- 마지막회땐 끝나는 것을 아쉬워하며 적극적으로 잘 만들며 사진 찍을 때 처음으로 나의 눈을 응시하며 마음의 문을 활짝 열었음.

3. 학생별 보고서

● 안** (가명, 중3)

Theme	사랑하는 여친
성 향	무뚝뚝한 성격인 듯 하지만 여친을 위한 일을 할 때엔 적극적이고 집중력이 좋음

1회차

주제: 네임쿠키

여자친구 이름, **, **, ** 3개 만듦

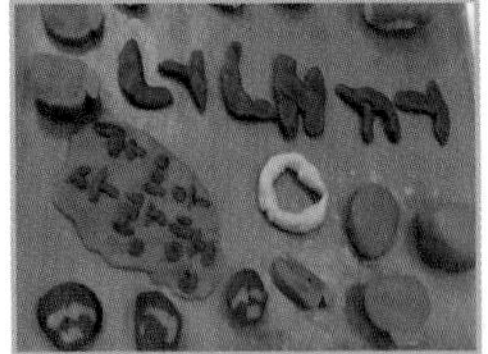

3회차

주제: 마블쿠키

가은아 사랑행, 너 내꺼

5회차

주제: 가장 즐거웠던 여행

여친과 워터파크

7회차

주제: 빼빼로

여친을 위한 정성스럽게 만든 빼빼로

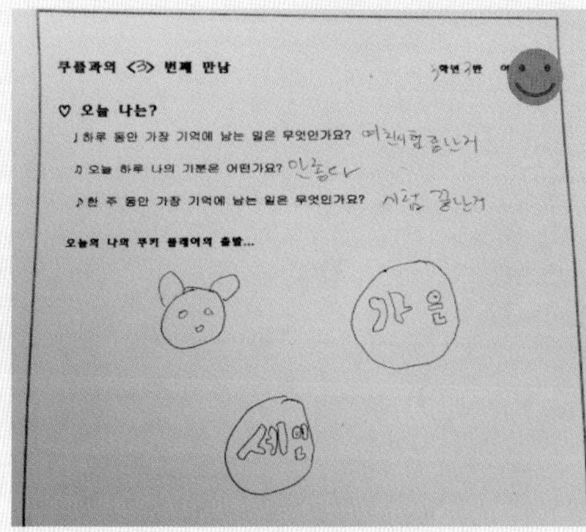

쿠플과의 <3> 번째 만남 3학년 2반

♡ 오늘 나는?

♩하루 동안 가장 기억에 남는 일은 무엇인가요? 여친시험 끝난거

♫ 오늘 하루 나의 기분은 어떤가요? 안좋다

♪한 주 동안 가장 기억에 남는 일은 무엇인가요? 시험 끝난거

오늘의 나의 쿠키 플레이의 출발...

(3회 워크지)

· 하루동안 기억에 남는 일?
  :여친시험 끝난거
· 오늘의 스케치
  :** **

결론

- 입에 마스크를 쓰고 다니며 표정도 어두운 학생인데 여친 얘기만 하면 얼굴에 화색이 돌며 모든 주제는 온통 여친을 위한 것 뿐임.
- 마지막 수업 때 내게 '고맙' 이라는 쿠키를 선물하고 사진 찍을 때 선뜻 웃어 주어 인상적.

3. 학생별 보고서

● 김** (가명,중3)

Theme	애교 만점
성 향	성격이 밝고 손재주 뛰어남 색채 감각 좋음 대안학교 로 옮김

1회차

주제: 네임쿠키

이름 대신 '넌 할 수 있어' 라는 메시지쿠키 만듦.

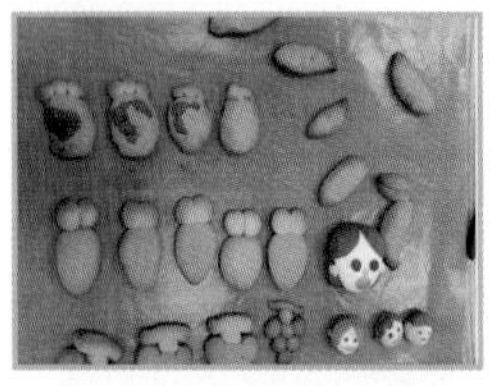

3회차

주제: 마블쿠키

뛰어난 표현력과 섬세함

6회차

주제: 피자

정성스럽게 잘 만듦

8회차

주제: 나의 꿈

'Surt'라는 본인 회사 경영

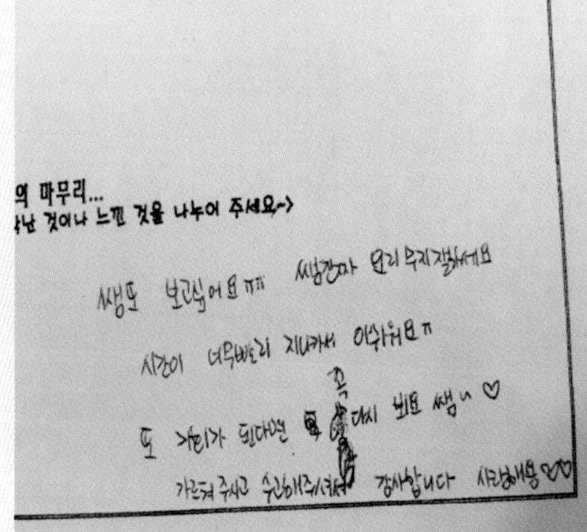

(10회 워크지 마무리)
쌤 또 보고 싶어요
시간이 너무 빨리 지나서 아쉬워요
또 기회가 된다면 꼭 다시 봬요 쌤~
가르쳐주시고 수고해주셔서 감사합니다. 사랑해용

결론

- 마지막 수업때 내 얼굴쿠키를 만들어 슬며시 건네며 아쉬움을 전했음.
- 평소 얼굴을 손으로 가렸지만 마지막 날엔 수줍은 듯 케이크로 얼굴을 가리며 환하게 웃음.

4. 결론

쿠키플레이 기능

교육적 기능: 재미있는 놀이를 통해 교육에 접근
진단의 기능: 내면의 심리상태, 사회적 영역들에 대해 분석할 수 있는 기회 제공
치료적 기능: 불안, 긴장해소, 문제를 스스로 극복, 마음의 정화, 정서적 안정감

쿠키플레이 상담 특장점

· 관계(라포) 형성이 뛰어남 – 김**

· 상담하는 과정에 중요한 이정표와 같은 상담 도구

최* – 쿠키 안에 정서 불안이 나타남

안** – 쿠키의 주제가 모두 여자친구에 관한 것

· 쿠키플레이를 하는 과정에서 치료 이루어짐

박** & 이** – 닫혔던 마음의 문이 열림

· 감정표현과 감정처리 진행

김**, 안** – 고마움의 감정을 표시

김** – 수줍음을 많이 타며 고마움의 감정을 쿠키로 만들어서 선생님께 선물

· 내담자가 상담을 수월하게 진행

VS

쿠키플레이로 사랑을 만든 이야기들

쿠키테라피 사례집

초판1쇄 인쇄 2020년 12월 5일
초판1쇄 발행 2020년 12월 10일

지은이 안미진
펴낸이 이동석
펴낸곳 일파소
디자인 디자인 H
출판등록 2013년 10월 7일 제2013-000294호
주소 서울 마포구 만리재로 20-5, 4층 (04195)
전화 02-6437-9114 (대표)
e-mail info@ilpasso.co.kr
ISBN 979-11-969473-2-3 13590
–
책값은 뒤표지에 있습니다.
파본은 구입하신 서점에서 교환해 드립니다.

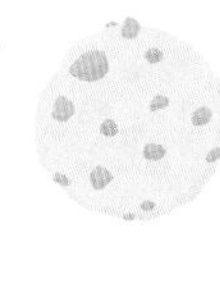